T3-BUW-214

L'ORDRE ET LA VOLUPTÉ

L'ORDRE ET LA VOLUPTÉ

Essai sur la dynamique esthétique dans les arts et dans les sciences

ROLAND FIVAZ

PRESSES POLYTECHNIQUES ROMANDES

Dans la même collection

Le huitième jour de la création
Introduction à l'entropologie

Jacques Neirynck

Pour une informatique consciente
Réflexions sur l'enjeu humain et
l'impact socio-culturel de l'informatique

P.-G. Fontolliet *et al.*

Le chercheur à la recherche de lui-même
Sens et limites de la recherche scientifique

Groupe de Montheron

Aventures mathématiques

M. Del Guzmán
(à paraître)

Si vous désirez être tenu au courant des publications de
l'éditeur de cet ouvrage, envoyez vos nom, prénom et
adresse aux **Presses polytechniques romandes,**
Cité Universitaire, Centre Midi, CH–1015 Lausanne,
Suisse, qui vous feront parvenir
leur catalogue général

Première édition
ISBN 2-88074-162-9

A Elisabeth

et

à Luc

L'auteur remercie de leurs précieux commentaires
Mmes et MM. A. Bader, R. Berger, A. Corboz,
M.-H. Fankhauser, E. Fivaz, P. de la Harpe,
L. Kaufmann, P. Lehmann, S. Munari,
J. Neirynck et G. Salem.

PRÉFACE

L'homme a toujours constitué une énigme pour lui-même. Par son corps, il partage le destin du monde animal; par son esprit, il s'en détache et il est seul à le faire. Comment un être aussi composite, voire contradictoire, est-il apparu?

La réponse traditionnelle à cette question relève toujours, plus ou moins, du schéma platonicien: l'esprit procède d'une réalité extérieure à la matière, la divinité. Celle-ci se dégrade, par avatars successifs, jusqu'à l'homme. Nous serions ainsi le résultat d'une régression du divin, d'une involution du meilleur vers le médiocre.

Depuis Darwin, une telle position n'est plus tenable. Il n'y eut jamais théorie scientifique plus impopulaire que celle de l'évolution parce qu'elle bousculait le mythe platonicien, qui imprégnait la vision du monde coutumièrement admise par tout un chacun. L'involution devenait une évolution. Il est pénible d'admettre que l'on a pour ancêtres des animaux et il est difficile de comprendre que le plus puisse sortir du moins, le meilleur du médiocre.

En faisant table rase des mythologies antérieures, Roland Fivaz reprend cette vieille quête d'une explication de l'homme à partir du niveau le plus bas. Son livre repose sur une hypothèse fondamentale: nos connaissances physiques ont une pertinence au niveau de l'esprit. Néanmoins, cette hypothèse ne conduit pas au réductionnisme simpliste et naïf, promu au siècle passé par un Auguste Comte.

Roland Fivaz est un physicien de notre siècle. Il sait et il explique à quel point les connaissances sont fragiles et ambiguës. La physique n'épuise pas la réalité, elle en donne une image voilée. Elle donne bien moins des réponses définitives et péremptoires qu'elle ne suggère de nouvelles questions, toujours plus paradoxales.

«L'ordre et la volupté» s'inscrit ainsi au cœur d'un mouvement de pensée récent, tout à fait original et imprévu, que l'on pourrait qualifier de post-scientisme. Il s'agit à la fois de prendre la physique suffisamment au sérieux pour formuler, à partir de ses résultats, des questions métaphysiques et de ne pas la prendre tellement au sérieux que l'on s'imagine qu'elle puisse y répondre. Prigogine, d'Espagnat, Atlan, Reeves, Jaccard, Bateson, Monod, Georgescu-Rœgen, Atkins sont quelques-uns des auteurs qui s'inscrivent dans cette lignée. Je suis heureux d'accueillir dans cet aréopage le nom de mon ami et collègue, Roland Fivaz.

Jacques Neirynck

AVANT-PROPOS

Cet essai est la quête d'un physicien sur le pourquoi de l'esprit: pourquoi, couronnant l'évolution biologique, l'esprit est-il devenu ce qu'il est dans un monde de choses apparemment inertes? Pourquoi, bien au delà des besoins de la survie, se préoccupe-t-il tant de ces choses et fait-il de la science? Pourquoi, en toute gratuité, se préoccupe-t-il tant de lui-même et crée-t-il des œuvres d'art?

Pour un homme de science, cette interrogation commence avec la fascination qu'exerce le pouvoir d'expliquer les choses. De nos jours, ce pouvoir semble s'accroître sans limites et il inspire une idéalisation démesurée de la science. Pourtant les frustrations existent. Par exemple, les scientifiques ne savent pas pourquoi la matière inerte s'organise en matière vivante, voire pensante: le problème de la montée du simple vers le complexe reste entier. Les scientifiques ne savent pas non plus pourquoi leur idéal tourne à l'aigre: la moitié de ceux qui peuvent s'en réclamer choisissent paradoxalement de se vouer à l'armement. En voyant les meilleurs d'entre eux faire ainsi une guerre larvée au genre humain, on se demande s'il est fatal que la montée vers le complexe se tourne contre elle-même.

En vérité, la science n'est pas le seul domaine où le paradoxe fleurit. Tous les systèmes complexes s'exposent à ce risque et les organisations sociales en souffrent souvent. Les groupes à transactions psychotiques offrent l'exemple le plus frappant de comportements paradoxaux: l'activité mentale y prend une tournure déroutante et incompatible avec la vie communautaire. Pourquoi ces groupes s'engagent-ils dans cette impasse, comment les en sortir? C'est au cours d'une recherche interdisciplinaire sur ce problème qu'un tournant survint dans la présente quête sur le pourquoi de l'esprit.

En effet, toutes les questions que cette quête soulève tournent autour du problème de l'évolution des systèmes complexes: tout en gardant leur identité, ces systèmes sont capables de changer constamment de structure interne. Les changements ne sont sûrement pas quelconques mais, qu'ils soient salutaires ou pathologiques, l'esprit reste depuis toujours au défi d'en formuler les règles: rencontrerait-t-il là une de ses limites intrinsèques?

Or le physicien sait que le changement de structure interne est un problème central de sa discipline, problème à la fois très ancien et très ardu: les changements d'ordre ont opposé un réel obstacle à la compréhension. La dynamique des systèmes a cependant fait des progrès substanciels ces dernières années; bien qu'il ne soit pas totalement résolu même dans les systèmes simples, le problème des changements de structure s'est considérablement éclairci.

Il va sans dire que l'évolution d'un système aussi complexe que l'esprit posera toute une cascade de problèmes difficiles. Il faut pourtant s'attendre à ce que le premier d'entre eux porte sur le changement de structure interne, obstacle sur lequel ce même esprit a déjà buté dans les systèmes simples. Le parti pris dans cet essai est de le surmonter en tenant compte des connaissances récentes de la physique: après tout, rien ne s'oppose à ce que l'ordre se fasse dans l'esprit plus ou moins comme l'ordre se fait dans la matière. L'idée de départ est donc très simple. Il faudra pourtant montrer qu'elle est plausible et l'argumentation touchera maints domaines du savoir. Mais au bout du périple, l'esprit émergera comme le fruit vraisemblable d'une épigénèse spontanée au sein de la matière: il poursuit l'évolution qui a commencé avec l'apparition de la vie, évolution où les réussites dépassent de loin les échecs; les plus belles réussites de l'esprit se trouvent dans les arts et dans les sciences, montées complémentaires vers l'ordre qui guident son aventure dans l'univers. Enfin, si l'homme consacre tant d'efforts à l'ordre, c'est que l'épigénèse continue et l'y contraint: il y découvre aussi ses plaisirs les plus raffinés.

TABLE DES MATIÈRES

1 INTRODUCTION

Tout y parlerait
A l'âme en secret
Sa douce langue natale.

Là, tout n'est qu'ordre et beauté,
Luxe, calme et volupté.

L'invitation au voyage
BAUDELAIRE, Spleen et idéal

Avec mes yeux de physicien, j'imagine que la langue natale de l'âme est la symétrie, ce faisceau de relations que l'esprit sait tisser entre les choses et qui les ordonne les unes par rapport aux autres. Souvent, ce faisceau n'est pas immédiatement visible, mais l'homme infère son existence à partir de son expérience passée. Les choses, même triviales, acquièrent ainsi des significations symboliques qui fondent la relation de l'homme à l'univers: il reconstruit pas à pas une image dans sa tête qui, idéalement, ne se distingue plus du monde extérieur. Alors image et univers se trouvent en symétrie miroir, symétrie suprême et grandiose, et l'homme en conçoit une émotion singulière: c'est que l'âme est fascinée par l'ordre, qu'elle éprouve un délice à reconnaître une symétrie, surtout si elle a passé par un moment d'incertitude. Mieux encore, l'invention d'une symétrie inédite donne le vertige, et la recherche de cette discrète volupté anime tant les artistes que les hommes de science: c'est en quelques mots le thème de cet ouvrage.

Coûts et bénéfices de l'ordre

L'art et la science sont tous deux des entreprises que l'homme poursuit spontanément, avec passion et même au prix de coûteux efforts. Dans les deux cas, il commence par refléter le monde où il vit avec la fidélité que lui permettent ses moyens d'observation et d'expression. Puis vient le moment où il se plaît à imaginer les variantes qui pourraient transformer à son avantage ce qu'il a observé: une réalité devenue intelligible promet d'être maîtrisable. Le bénéfice utilitaire sans doute motive beaucoup des efforts consentis, mais cette motivation est secondaire car la récompense est souvent imprévisible et tardive; en art elle est élusive, et les scientifiques enrichis ne sont pas légion. S'il y a une motivation primaire, elle doit se trouver parmi celles qui recherchent une satisfaction sûre et immédiate. La thèse de cet ouvrage sera que l'émotion qui accompagne l'expérience de la symétrie *est* une satisfaction sûre et immédiate: donc l'homme se met délibérément à sa recherche. Sa meilleure stratégie sera de traquer l'ordre partout où il le trouve, pour mieux le réarranger ensuite dans sa perspective personnelle, qu'elle mène à l'œuvre d'art ou à l'œuvre scientifique.

Que les artistes agissent pour leur plaisir est bien sûr une idée familière, mais appliquée aux scientifiques elle devient suspecte: peut-être est-elle incompatible avec leur devoir d'objectivité, peut-être dévoile-t-elle trop crûment leur désinvolture quant aux conséquences de leurs activités. Pourtant, tout comme les artistes, les scientifiques partagent la conviction que leurs œuvres reflètent une part de l'ordre immanent qui règne dans le monde réel [1]. Ils y discernent une à une les relations entre les choses, qui à leur tour se composent en symétries supérieures, et ils construisent une hiérarchie de propositions dont ils ont appris à vérifier la similarité avec le monde sensible. Même s'ils savent que leurs propositions restent quand même irréductiblement différentes de ce monde et en accord provisoire avec lui, ils poursuivent leur quête inlassablement: le bénéfice primaire de cette activité, c'est, sans doute comme pour les artistes, l'émotion intense qui accompagne la reconnaissance et la création de l'ordre.

La dialectique ordre-désordre

Le but de cet ouvrage sera donc d'explorer le lien entre l'ordre et l'émotion et de trouver comment il régit notre relation avec le monde extérieur: il va progressivement s'imposer comme l'instrument même de la construction du savoir, ouvrant la perspective inattendue d'accorder l'épistémologie de la connaissance avec les principes généraux de la physique. La raison profonde de cet accord réside dans une propriété fondamentale bien établie dans notre part d'univers: la nature y connaît une tendance inexorable vers le *désordre*, mais cette tendance se joue dans une dialectique mystérieuse où c'est *l'ordre* qui tient le rôle principal.

Cette dialectique imprègne non seulement le monde des choses, mais aussi le monde des êtres vivants et le monde des idées qui régissent notre existence. On la reconnaîtra dans les combinaisons compliquées que les atomes réalisent dans la matière inanimée ou vivante. On la reconnaîtra dans l'apprentissage et la pensée créatrice, ou bien dans les grands équilibres écologiques et l'organisation socio-économique; par exemple, elle éclaire sans détours le pouvoir discrétionnaire que la science et les technologies s'arrogent sur l'évolution de la société moderne. Enfin, tout au haut de la pyramide, on la verra à l'œuvre dans l'art et dans la science où elle se charge de faire naître l'émotion esthétique. Par ce biais de l'émotion, elle se trouve à la fois au cœur des choses et au cœur de l'esprit: on en viendra à l'idée force de ce livre, à savoir que la dialectique ordre-désordre *assujettit* l'homme à se créer une image idéalisée de son univers et à la parfaire sans relâche; dans cette image idéalisée, les contingences de la réalité ordinaire s'effacent et, en se dévoilant, l'ordre se mue en beauté.

De l'ordre physique à l'ordre mental

L'exploration du lien entre ordre et émotion commence par la découverte que les objets mentaux ressemblent aux objets physiques ordonnés: mêmes aspects, mêmes comportements. Les chapitres 2 et 3 guident cette découverte en comparant directement des objets physiques, et parfois des êtres vivants, avec des objets mentaux comme des œuvres d'art. L'expérience en partie émotionnelle que fera le lecteur servira à étayer l'hypothèse fondamentale de cet ouvrage: *nos connaissances sur l'ordre au niveau le plus bas, le niveau physique, ont une pertinence au niveau le plus élevé, celui de l'esprit.* L'hypothèse sera ensuite éclaircie à partir des propriétés qui régissent l'ordre dans la matière: celles-ci suggèrent deux hypothèses complémentaires qui vont conduire au lien recherché avec l'émotion.

Nécessité de l'analogie

La première hypothèse complémentaire soutient que, *pour une part importante, l'ordre et le complexe surgissent de la répétition d'événements simples en très grand nombre.* Cette hypothèse paraît nier l'impression courante que le complexe transcende le simple, exprimée par exemple par l'idée que «le tout est plus que la somme des parties». L'impression est correcte car l'ajout est effectivement inaccessible au raisonnement: ses capacités de déduction sont limitées lorsque les causes s'enchaînent en très grand nombre. Or, on verra que l'ordre physique le plus simple est un effet de ce genre et que, de ce fait, il représente un défi majeur pour l'explication rationnelle. Il n'en reste pas moins que l'ordre est accessible à l'intuition car tout un chacun en a l'expérience journalière. Pour aborder le complexe, l'esprit peut donc chercher assistance dans des connaissances élémentaires de physique où la sommation de nombreux événements simples est déjà faite, de sorte que l'ordre se trouve expliqué sans que le raisonnement soit directement sollicité. Cette assistance sera fournie par une *méthode de modélisation*. Partiellement basée sur l'intuition, elle consiste à recenser les similitudes entre niveaux simple et complexe, puis à exploiter par analogie les connaissances établies au niveau simple. A partir de cette méthode, un modèle d'évolution vers le complexe sera mis sur pied, appelé *le paradigme évolutionniste:* il met au jour les procédés de principe par lesquels le simple peut donner naissance au complexe en accord avec les lois de la physique.

Le chapitre 4 sera entièrement consacré à ce paradigme. Comme l'argumentation est cruciale du point de vue épistémologique, elle doit être menée avec une certaine prudence. Il faut en effet reconnaître que la méthode de la modélisation n'est pas rigoureuse: comparaison n'est pas raison. La physique ne saurait servir de caution et la méthode doit être validée par d'autres sources. Des tests de validation seront donc conduits dans plusieurs systèmes complexes qui ne relèvent pas de la physique.

Continuité de la complexification

Enfin, pour accéder de plain pied au niveau de l'esprit, le chapitre 5 pose la deuxième hypothèse complémentaire: *la dialectique ordre-désordre est à même d'entretenir continûment la complexification.* Les mécanismes mis en jeu sont en vérité spéculatifs puisqu'ils font partie des circonstances encore inconnues qui ont permis à la vie d'éclore. Mais pour ce qui est de l'humain, le mécanisme envisagé est familier: le rôle instrumental que joue l'émotion dans toutes nos motivations et, au bout du compte, dans notre insatiable besoin de connaissance et de perfection. A ce point, la relation entre ordre et émotion s'imposera dans toute son évidence: elle constitue un principe explicatif grâce auquel le développement de la vie mentale devient intelligible.

L'esprit et la matière

C'est sur cette base que, par le texte et par l'image, les ponts seront jetés qui mènent progressivement du monde physique au monde mental. Par exemple, les processus d'acquisition d'ordre en physique seront reliés aux mécanismes de la pensée associative et logique, et la dynamique qui régit les processus physiques se retrouvera dans la construction des valeurs et la pensée normative. Une vision globale de l'ordre sera dès lors bâtie: elle comprendra les choses concrètes qui s'ordonnent dans le monde physique aussi bien que les représentations abstraites qui se construisent dans l'esprit. Il en ressortira que, nonobstant la légitime fierté que nous inspirent les prouesses de l'esprit, il est loin d'être étranger à la matière qu'il habite.

On ne saurait cependant aboutir à ce constat sans en mesurer les conséquences ultimes: en rendant *plausible* la filiation qui mène du simple au complexe, il relance la vision philosophique du matérialiste. Pour ce dernier, l'esprit est issu de la matière; c'est un objet certes complexe mais un objet naturel, et des phénomènes naturels s'y déroulent que la conscience éprouve comme pensées et sentiments; enfin arts et sciences sont les produits raffinés de son activité spontanée. Ainsi, dans la vision matérialiste, la vie mentale s'apparente à la vie tout court et au devenir de l'univers physique; le paradigme donne à cette parenté une substance nouvelle. Pourtant notre expérience du libre arbitre ne saurait en prendre ombrage: le devenir de l'univers n'est pas écrit d'avance et la vie mentale participe de plein droit à l'aventure. Les idées que l'on peut se faire de notre destin d'êtres humains s'en trouvent quand même affectées, et ce livre se terminera sur quelques exemples touchant le statut épistémologique et éthique des arts et des sciences.

Comment lire cet ouvrage

Le problème de l'explication est redoutable lorsqu'il s'agit de s'adresser à la fois aux amateurs d'art et aux scientifiques: sauf exception, leur culture est si étrangement différente que les besoins sont inconciliables. D'un côté les amateurs devraient pouvoir se faire sans peine une image de phénomènes physiques plus compliqués que leur familiarité laisse supposer; de leur côté, les scientifiques ont l'habitude de la précision et de la rigueur, et les justifications les plus ardues ne satisferont peut-être jamais les plus exigeants. A défaut de juste milieu, ce livre sera fait de deux textes: le premier développe sans détours les idées générales jusqu'à leur terme, et il devrait être accessible à toute personne cultivée; l'autre est un texte parallèle, imprimé dans un caractère plus petit, qui donne les explications techniques et traite les délicates questions de méthodologie et de validation. Le texte général est donc conçu pour guider la réflexion, et le lecteur est libre de consulter l'autre texte, sur le moment ou plus tard, s'il entend juger par lui-même des justifications qui sont offertes. Il trouvera également dans le glossaire en fin d'ouvrage les acceptions particulières des termes imprimés en italique à leur première apparition.

L'ordre et l'esprit

Pour commencer la discussion, faisons le constat que, pour l'esprit, l'ordre est l'intérêt central si ce n'est l'unique intérêt. D'une part, il est littéralement fasciné par l'ordre qu'il reconnaît, et cette fascination est d'autant plus irrésistible qu'elle est inconsciente. D'autre part, il croit voir de l'ordre partout et, tout aussi inconsciemment, il se laisse aller à en déceler même s'il est peu plausible: l'astrologie et les sciences occultes en témoignent. Il n'empêche que cette tendance spontanée à produire de l'ordre est le bien le plus précieux car elle est à la racine de toutes les perceptions qui composent les représentations mentales.

En effet, comme on le verra, l'identification des formes et de leur arrangement mutuel est une activité de l'esprit qui est spontanée et inconsciente: la perception elle-même consiste à réarranger des représentations déjà connues de façon qu'elles tombent en *symétrie miroir* avec les données sensorielles. Toutefois, si la scène est peu familière (1), l'activité rationnelle entre en jeu: le spectateur échafaude des théories sur les relations invisibles que les formes peuvent avoir entre elles; il teste la cohérence et la vraisemblance de ce qu'il voit et, en corrigeant au besoin ses interprétations, il construit pas à pas une représentation de la scène. Finalement, il atteint un état subjectif de satisfaction qui est l'indice que la perception est achevée. La représentation forme dès lors un ensemble *ordonné et stable*: ordonné car un réseau de relations nouveau s'est construit entre les représentations anciennes, et stable car le réseau peut résister à la critique ou à la suggestion d'alternatives moins appropriées. Le nouveau se trouve ainsi structuré par l'ancien et l'ordre mental se complexifie sans cesse avec l'expérience.

Conclusion

Cependant, puisque l'acquisition de l'ordre n'est pas accessible à la conscience, la pertinence des constructions mentales ne peut être prouvée *a priori*: elles sont validées après coup par l'expérience qui agit à la manière d'une sélection naturelle. C'est ainsi que le problème épistémologique nargue la raison humaine depuis qu'elle cherche à séparer l'illusion de la réalité (2): comment se fait-il que, même irrationnelles, les constructions de l'esprit se révèlent le plus souvent justes comme en témoigne leur valeur adaptative? Ces questions troublantes de rationalité et de validation font l'objet du texte parallèle

(§ 1.1-3), tandis que le chapitre suivant entre dans le vif du sujet: comment l'ordre est-il acquis en physique, et en quoi ces processus d'acquisition sont-ils pertinents pour comprendre la construction de représentations ordonnées et stables dans l'esprit.

1. Odilon Redon, ***Gravure.*** *Au premier coup d'œil, on reconnaît qu'il doit s'agir d'un chardon, mais la physionomie jette un doute qui demande vérification. A son tour, l'interprétation de la physionomie doit être vérifiée, après quoi il faut faire face à l'étrangeté du rapprochement et, surtout, à la contradiction entre l'expression séductrice et l'idée de danger qui s'associe avec le chardon. Enfin, lorsqu'on réalise que cette gravure illustrait les* Fleurs du Mal *de Baudelaire, on se surprend à admirer la justesse de l'inspiration du graveur. La perception a donc condensé la reconnaissance irrationnelle de plusieurs formes, l'évocation également irrationnelle de plusieurs symboles qui font partie de la culture occidentale et, finalement, le souvenir d'un moment mémorable de l'histoire littéraire: entre les formes s'est tissé un réseau de relations abstraites, en partie liées rationnellement. La construction de ce réseau se termine sur l'éclair de compréhension qui déclenche l'émotion.*

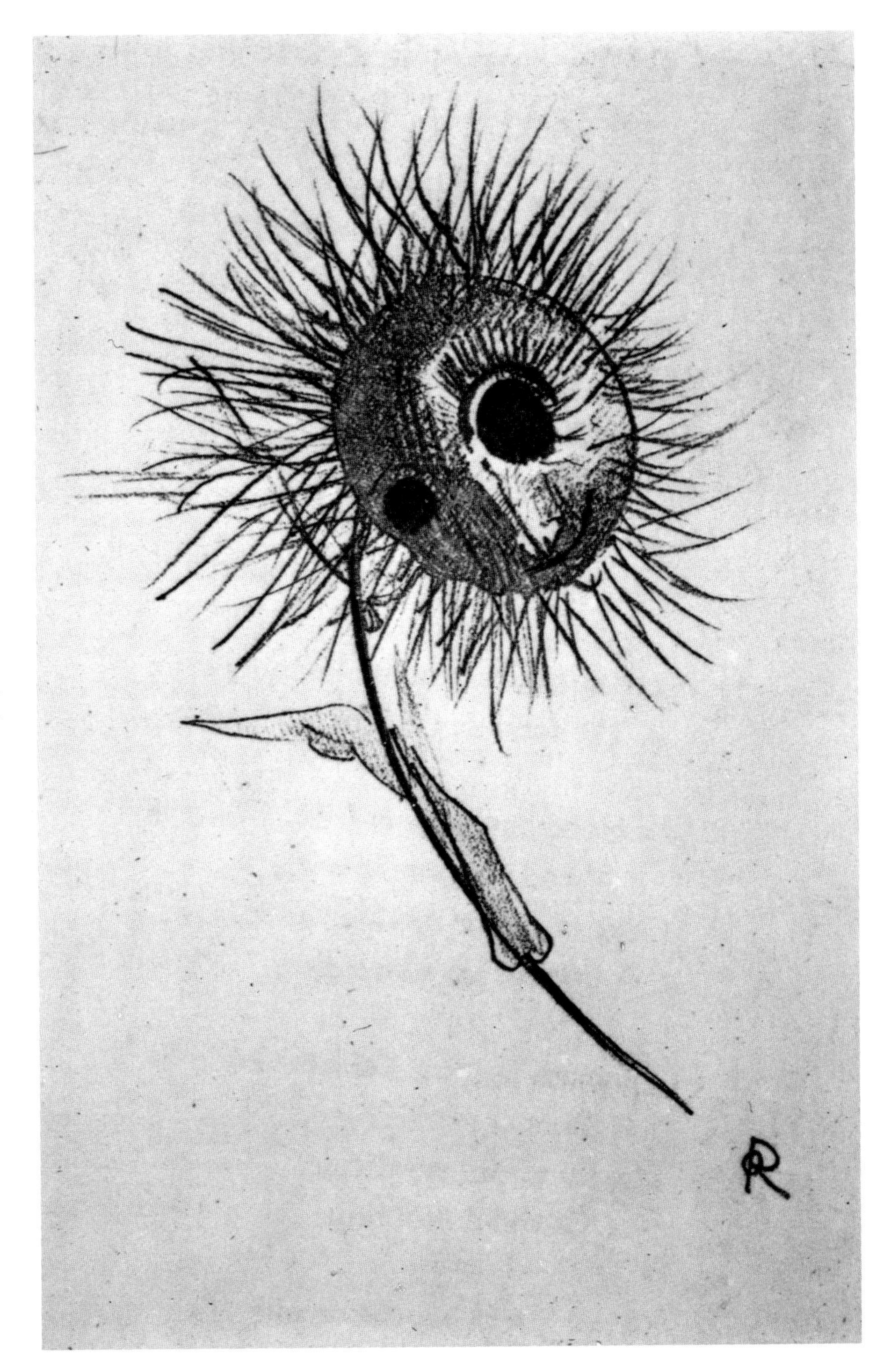

1.1 L'ACQUISITION DE L'ORDRE

Ordre et complexité

Pour commencer, quelques définitions sont utiles. Dans ce livre, l'ordre sera pris dans son sens le plus général: *est réputé ordonné tout ensemble où la connaissance d'une partie suffit pour connaître l'ensemble;* l'ordre lui-même est décrit par les transformations à effectuer pour passer de la partie à l'ensemble. Le plus souvent, ces transformations sont des transformations de *symétrie* dans l'espace, ainsi appelées parce que l'image que leur application produit est indiscernable de l'objet initial. Les transformations équivalentes peuvent aussi être envisagées dans des espaces abstraits à une ou plusieurs dimensions, par exemple le long d'une échelle hiérarchique. Toutes sont caractérisées par un très petit nombre de paramètres, comme les trois nombres qui définissent une translation dans l'espace.

Quant à *la complexité*, elle mesure *le nombre de données nécessaires pour définir l'ensemble.* Ce nombre peut être considérable pour un système quelconque, mais il est réduit si le système est ordonné car les paramètres de la transformation peuvent remplacer toutes les données des parties répétées par symétrie. Ces parties peuvent être simples ou complexes, et l'ordre lui-même peut être simple ou complexe suivant le nombre de paramètres nécessaires pour le décrire.

Par exemple, les systèmes les plus simples cités dans ce livre sont les *atomes;* les *molécules* sont des assemblages plus ou moins complexes suivant le nombre d'atomes combinés, mais souvent la symétrie est présente et la complexité est réduite en conséquence. Le grand système le plus simple est le *cristal parfait* où les atomes sont strictement arrangés dans un réseau. Cependant, après liquéfaction et vaporisation, ces mêmes atomes forment un *système infiniment complexe:* dans le gaz, les atomes se meuvent sans aucune corrélation et une masse quasiment infinie de données serait nécessaire pour définir positions et vitesses. Cette forme de la complexité est triviale et bien comprise en physique. Par contre, la vraie gageure est la complexité de l'ordre. Par exemple, un objet mental comme la façade d'une cathédrale est un objet complexe qui est intéressant: non seulement des symétries multiples et variées sont visibles, mais elles mettent en correspondance des parties elles-mêmes complexes et variées. Ainsi, une rangée de statues peut définir clairement un axe de symétrie malgré les évidentes différences entre statues: l'ordre compte même s'il porte sur des variables non physiques, voire abstraites. Les systèmes vivants sont aussi des systèmes complexes intéressants: à nouveau, l'ordre réalisé entre les parties de ces systèmes importe autant que les parties elles-mêmes. Par la suite, on entendra donc par *systèmes complexes* les systèmes où *la complexité de l'ordre entre les parties est comparable avec la complexité de ces parties.*

L'ordre lui-même se trouve être l'un des sujets flamboyants de la recherche actuelle en physique et tous les jours sont découverts de nouveaux résultats sur les mille et une façons dont les grands systèmes s'ordonnent ou se désordonnent. Elles relèvent cependant d'un schéma théorique unique, et ce schéma contient deux idées essentielles [2].

*2. René Magritte, **Le blanc-seing**, 1965, huile sur toile. Réalité ou illusion? Le cheval est-il devant ou derrière les arbres? La cavalière est-elle sur le cheval ou est-elle peinte sur l'écorce? Le peintre ironise: «Le blanc-seing, c'est l'autorisation qu'elle a de faire ce qu'elle fait» [3].*

L'ordre a des propriétés d'universalité

La première idée est que l'ordre est universel, dans le sens qu'il se manifeste selon des règles où le nombre de variables est déterminant mais non leur nature: ainsi interviennent le nombre de dimensions de l'espace où l'ordre s'établit et le nombre de *paramètres d'ordre* nécessaires pour le décrire. Il en résulte d'une part que ses diverses variantes peuvent exister à tous les niveaux de complexité de la réalité, par conséquent dans le monde inanimé aussi bien que dans le monde des êtres vivants ou dans le monde mental. D'autre part, si le nombre de variables est le même à deux niveaux de complexité différents, on peut s'attendre à ce que des propriétés identiques se manifestent aux deux niveaux: par exemple, les propriétés démontrées pour les systèmes physiques simples peuvent réapparaître dans certains comportements de systèmes beaucoup plus complexes. Le procédé exploitant cette similitude est la *modélisation*: elle offre des arguments bienvenus car, comme on va le voir, le comportement des systèmes complexes n'est pas entièrement accessible à la pensée rationnelle.

L'ordre est une propriété non rationnelle

La deuxième idée est que l'ordre n'apparaît acquis que dans des systèmes infiniment grands: établir l'ordre consiste à corréler les mouvements d'un très grand nombre d'éléments en interaction mutuelle. Or pour expliquer un phénomène, c'est-à-dire le rendre transparent à l'esprit, il faut décrire l'évolution simultanée de toutes les parties qui y participent. Par exemple, on explique le fonctionnement d'un moteur à explosion en décrivant les déplacements coordonnés des divers organes, pistons, soupapes, etc; l'explication est recevable dans ce cas parce que l'esprit peut suivre les mouvements d'un petit nombre de pièces interdépendantes. Mais dans l'acquisition de l'ordre, le nombre d'objets en interaction mutuelle est très grand: *la conscience n'est pas capable de suivre tous leurs mouvements, et le raisonnement ne peut extraire l'effet de coordination globale qui doit en résulter.* De la sorte, l'ordre ne peut être expliqué dans le langage naturel et sa construction doit être considérée comme non rationnelle.

L'ordre simple peut être calculé

En termes plus techniques, il est impossible de construire une suite d'opérations de logique formelle – un *algorithme* – par laquelle l'arrangement se déduit des propriétés des éléments arrangés: l'ordre n'est pratiquement jamais prédit, il est d'abord découvert par l'expérience. Plus tard, et parfois beaucoup plus tard comme pour la supraconductivité, une théorie voit le jour qui identifie l'interaction responsable et les mathématiques sont mises à contribution pour calculer la valeur des paramètres d'ordre. Les mathématiques sont indispensables car elles détiennent un langage symbolique où le passage à la limite des très grands nombres s'opère sans que la conscience soit sollicitée directement. Ce procédé ne fournit donc pas une explication au sens discursif, où causes et conséquences sont enchaînées une à une dans une suite unique et nécessaire; il fournit plutôt une démonstration de principe à laquelle les initiés ont appris à faire confiance: puisque les mathématiques symboliques ont prouvé par ailleurs qu'elles sauvegardent la véracité au cours de la démonstration, le résultat est vrai tant que les hypothèses de départ le sont. Par conséquent le résultat mathématique *se substitue* à l'explication par le raisonnement formel: en l'absence d'algorithme, le phénomène restera donc aussi mystérieux qu'avant pour la raison. Même le physicien blasé s'émerveille chaque fois qu'il voit croître un cristal. Pourtant, par le biais des mathématiques, il a pris conscience de relations qui étaient invisibles dans l'expérience brute et qui dépassent la logique; tout ésotériques qu'elles soient, ces relations constituent le savoir qui lui permet de renouveler la merveille à volonté.

L'ordre complexe peut être modélisé

Cette situation avantageuse ne se retrouve guère lorsqu'on veut parler de systèmes complexes comme les êtres humains, réalité qui défie la description mathématique et qui ne s'exprime apparemment qu'en langage naturel. Heureusement, les mathématiques ne sont pas les seules à proposer un langage symbolique à même de représenter cette réalité: la modélisation peut le faire à un niveau plus élevé. En effet, on peut partir de systèmes physiques ordonnés que tout le monde connaît, et dont les propriétés ont été mathématiquement démontrées; en exploitant ensuite les propriétés d'universalité, la modélisation peut reprendre ces résultats pour représenter les propriétés des systèmes complexes qui sont indémontrables dans le langage naturel. Dans les meilleures conditions, cette représentation se substitue valablement à l'explication, au même titre que le résultat mathématique s'est déjà substitué à l'explication du phénomène physique.

Conclusion

En ce qui concerne l'ordre, la familiarité avec des systèmes physiques courants fait de tout un chacun l'initié pour qui l'interprétation par le simple peut faire office d'explication du complexe. Le mystère va demeurer pour la raison, mais la connaissance est enrichie: l'expérience brute de l'ordre se complète d'un savoir crucial concernant les conditions à réunir pour que cet ordre apparaisse ou disparaisse.

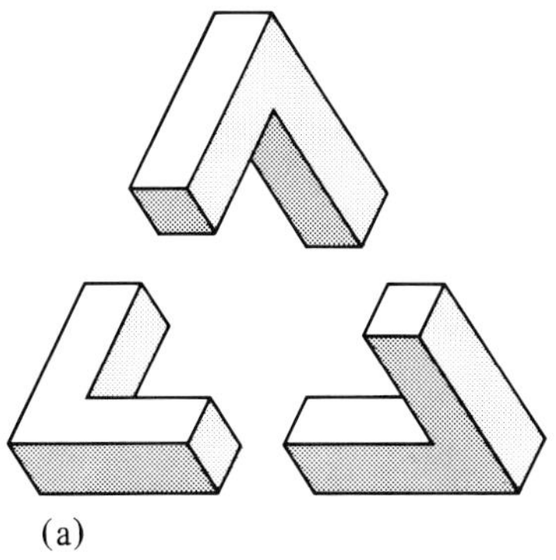

(a)

1.2 L'ORDRE ET LE PARADOXE

Le caractère irrationnel de l'ordre peut paraître surprenant, mais il est facile à saisir lorsqu'on rapproche l'ordre du paradoxe. Comme on le verra plus en détail dans le chapitre suivant, les interactions mutuelles responsables de l'ordre constituent des chaînes de causalité fermées sur elles-mêmes, c'est-à-dire des chaînes autoréférentielles. Or, le paradoxe est aussi basé sur l'autoréférence de sorte qu'ordre et paradoxe sont de même nature: le raisonnement est par nature rétif aux constructions logiques en boucle fermée et, pour le paradoxe en tout cas, l'irrationnalité induite par l'autoréférence est immédiatement sensible.

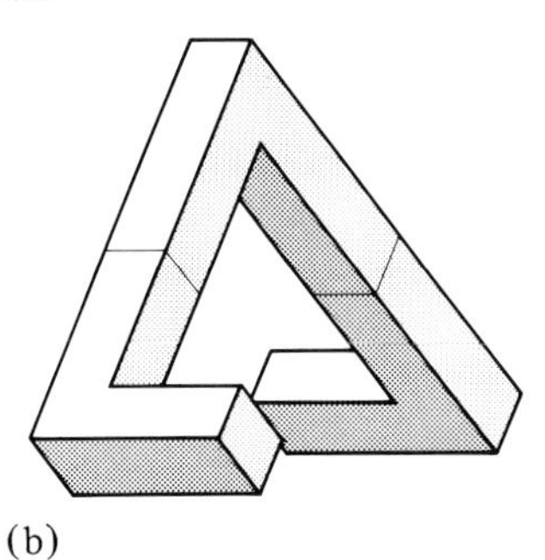

(b)

Paradoxes logiques, paradoxes spatiaux

Par exemple, tout le monde connaît le paradoxe d'Epiménides: il se dit Crétois, or il dit aussi que tous les Crétois sont menteurs. Le mot «Crétois» apparaît deux fois, et la boucle logique entraîne que s'il dit vrai il ment, puisqu'il ment il dit vrai, puisqu'il dit vrai ..., etc. Visiblement l'autoréférence enferre l'esprit dans une suite interminable de contradictions. On peut aussi concevoir des paradoxes dans l'espace consistant à prendre en défaut les règles de la représentation en perspective: on dessine la même combinaison d'éléments de plusieurs façons, et on constate que les unes représentent des objets qu'il est possible de créer dans la réalité, les autres des objets impossibles (3). L'esprit le reconnaît tout de suite s'il peut s'en sortir avec un petit nombre d'identifications. Mais à la limite entre le possible et l'impossible, il y a un arrangement singulier où l'esprit est renvoyé au point de départ, ce qui l'enferme dans une suite infinie et circulaire d'identifications et la conclusion s'esquive: l'objet représenté n'est ni possible ni impossible, ou tout autant l'un que l'autre. C'est la combinaison paradoxale où aucune erreur de construction *locale* n'est dénonçable mais l'effet *global* est problématique. Comme dans le paradoxe d'Epiménides, des pas s'enchaînent logiquement en nombre infini, mais par là-même l'aboutissement logique est interdit.

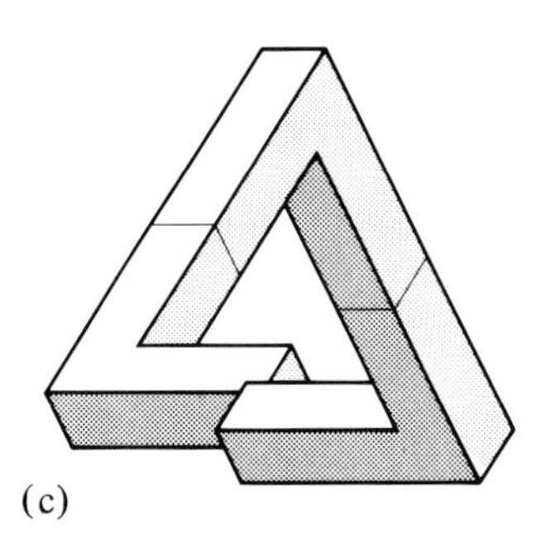

(c)

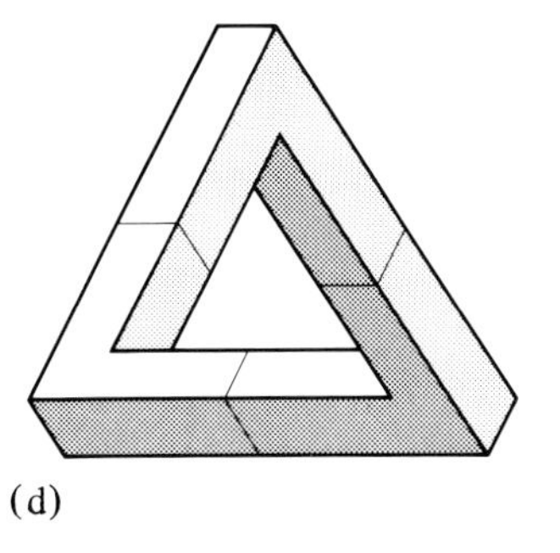

(d)

3. Paradoxe spatial. Les mêmes trois éléments coudés (a) sont assemblés en un objet possible (b); un objet impossible (c); un objet paradoxal (d).

Les représentations du réel sont partielles

Plusieurs de ces constructions paradoxales ont été inventées par Escher (4, 5); elles sont devenues célèbres car elles font facilement croire au mouvement perpétuel, titre de l'une d'elles, et elles posent la question: comment se fait-il que le paradoxe soit possible sur le papier mais impossible dans le monde réel? Ce sera l'un des thèmes de ce livre: les représentations d'un objet sont toujours plus simples que lui, et de ce fait elles peuvent entrer dans des combinaisons qui se révèlent interdites à l'objet: le dessin n'est pas l'objet, mais un objet simplifié qui a ses lois propres et parmi lesquelles seulement quelques-unes des lois de l'objet se retrouvent. Si l'on passe maintenant aux opérations mentales, il faut reconnaître que les représentations

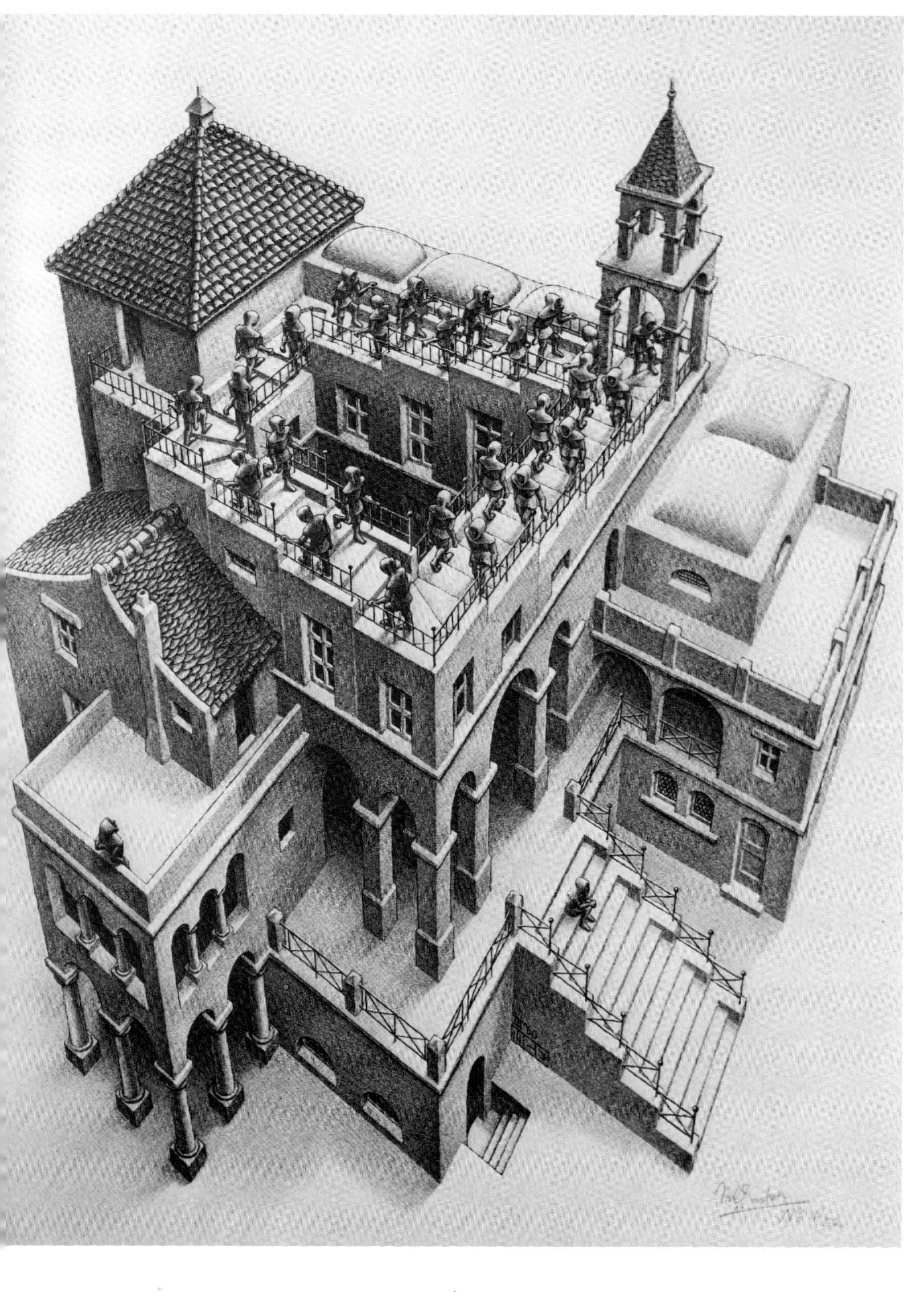

4. M.C. Escher, ***Monter et descendre****, 1960. Commentaires de l'auteur: «il s'agit d'un escalier en circuit fermé, tel un serpent qui se mord la queue. Et pourtant, il est possible d'en faire un dessin dont la perspective est correcte: chaque marche est plus haute (ou plus basse) que la précédente... Sujet triste et pessimiste, mais aussi très profond et tout à fait absurde» [4].*

5. M. C. Escher, ***Mouvement perpétuel (Cascade)****, 1961. Le thème est identique, mais l'effet paradoxal est nettement plus saisissant. La raison tient à la sensibilité particulière de la perception à la symétrie d'échelle: chapiteau non compris, la tour centrale est faite de trois étages de dimensions décroissantes. Cette disposition force l'impression que la chute est très haute, et pourtant le circuit d'eau se referme en continuant à descendre... Les effets perceptifs de la symétrie d'échelle seront discutés au paragraphe 2.4.*

que l'esprit se construit sont nécessairement des représentations partielles, en un sens qui s'éclaircira lorsqu'on examinera l'adaptation dans les systèmes complexes. Il faut donc s'attendre à ce que les représentations mentales entrent parfois dans des combinaisons fantaisistes auxquelles les objets représentés se refusent. C'est le rôle de la méthode scientifique que de préserver nos théories de ces fantaisies en exigeant que seules soient retenues les combinaisons sanctionnées par l'expérience.

Le paradoxe implique la contradiction

Dans le monde physique, l'autoréférence est omniprésente mais le paradoxe n'existe pas: entre les choses réelles, il y a toujours cohérence. Cette garantie ne s'étend bien sûr pas à leurs représentations: elles peuvent être contradictoires et les objets mentaux peuvent être non cohérents. Par exemple, Epiménides déclare vrai qu'il déclare le faux et l'autoréférence conduit au paradoxe. La cohérence entre les choses est une propriété immanente grâce à laquelle l'autoréférence peut exister dans le monde physique sans soulever les problèmes qui infestent la pensée discursive.

S'il n'y a pas contradiction, l'autoréférence conduit à l'ordre

Effectivement, si Epiménides avait dit: «je suis Crétois et les Crétois ne mentent jamais», le monde aurait soupiré d'aise qu'il soit vraiment Crétois, et l'on n'en aurait plus parlé. La conclusion est évidente mais il faut réaliser qu'on l'accepte simplement du fait que la cohérence est sauve: pour être strict, le raisonnement ne saurait en effet échapper à l'infinité: il est vrai qu'il est vrai qu'il est vrai ... qu'il dit vrai. Or il est impossible que l'esprit appréhende cette cascade indéfinie d'affirmations imbriquées, tout autant qu'il lui est impossible de résoudre le paradoxe. On voit cependant facilement que cette cascade d'affirmations identiques constitue un ordre, ordre où la même relation entre éléments voisins est répétée indéfiniment: c'est une *symétrie de translation.* Transposée par exemple dans un espace à une dimension contenant des atomes, la cascade correspond à une chaîne périodique; elle correspond à un cristal parfait dans l'espace ordinaire; enfin, avec un élément plus compliqué comme la bifurcation en Y, elle correspond à un arbre, structure de prédilection de la matière vivante.

A côté de ses dessins paradoxaux, Escher a aussi imaginé un exemple où les propositions sont à la fois autoréférentielles et cohérentes: *Dessiner*, où deux mains

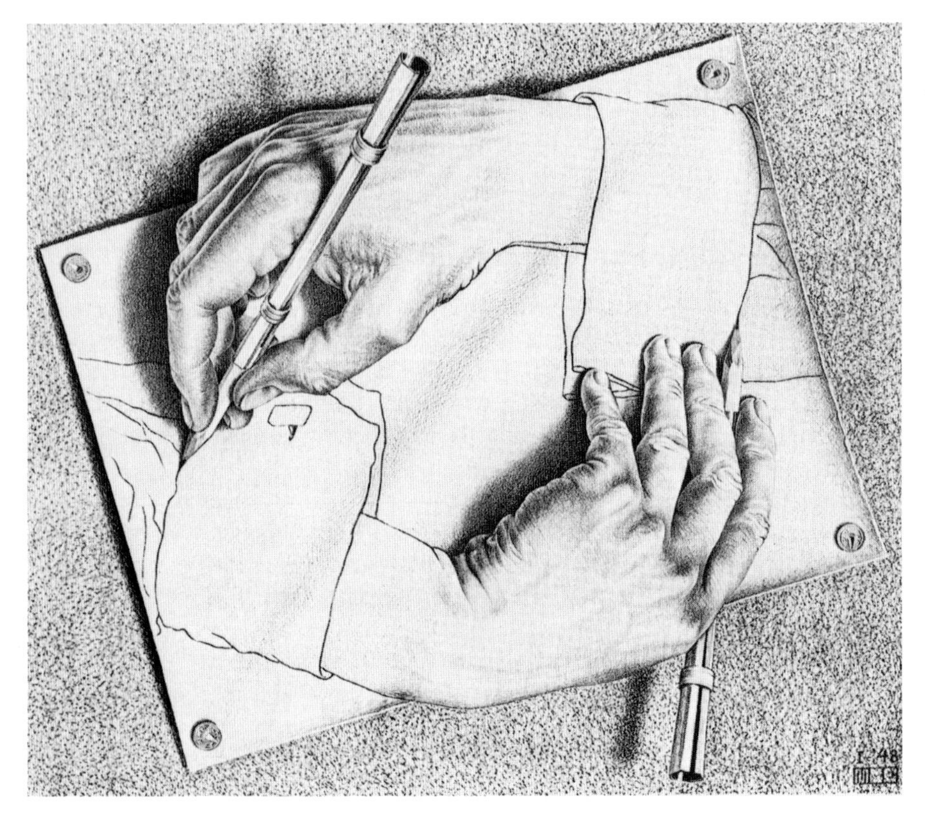

6. M. C. Escher, ***Dessiner****, 1948. Avec ces deux propositions autoréférentielles et cohérentes, tout le nécessaire est présent pour que l'acte de dessiner se poursuive indéfiniment: allégorie saisissante de la création et de l'entretien de la vie.*

sont représentées chacune tenant le crayon qui dessine l'autre, et ainsi chacune crée ce qui la crée elle-même (6). Le dessin est dépourvu de contradiction puisque ces mains pourraient être sculptées en trois dimensions sans inconvénient, ce qui n'est évidemment pas possible avec les sujets des dessins paradoxaux. L'allégorie est saisissante: elle démontre comment il est possible que la vie soit créée et entretenue par la simple grâce de l'autoréférence.

Conclusion

A ce point, on peut conclure que tout système formel s'enferme dans une suite infinie d'opérations s'il traite des propositions autoréférentielles; *si de plus les propositions sont contradictoires, la suite est paradoxale, mais si elles sont cohérentes, le résultat est l'ordre.*

L'histoire devrait donc se répéter: comme on l'a vu, les mathématiciens ont agencé les moyens de maîtriser les grands nombres en passant du plan formel au plan symbolique; pour ce qui est utile tout au moins, l'acquisition de l'ordre simple est devenue accessible à l'esprit. En passant comme eux au plan symbolique suivant, les physiciens disposent de modèles d'ordre simple qu'ils peuvent agencer pour mettre la complexité à la portée de l'esprit – avec l'ambition de saisir une part de la complexité de l'esprit lui-même.

1.3 LE PROBLÈME MÉTHODOLOGIQUE

Pour revenir à la modélisation comme explication du non-rationnel, il faut reconnaître qu'elle soulève un problème méthodologique irrésolu: comment justifier des correspondances entre des réalités que l'on sait irréductiblement différentes? L'unique indication dont on dispose est qu'en physique, l'ordre apparaît comme universel; cette propriété suffit en principe pour légitimer des parallélismes entre réalités différentes si le nombre des variables est le même. Or, du fait de l'irrationnalité de l'ordre, l'identité de ces variables pose problème déjà en physique, et il va sans dire que ce problème d'identification ne peut qu'empirer dans la réalité complexe. Il est donc exclu de justifier la modélisation *a priori.*

La modélisation dans les sciences exactes

La méthode est pourtant souvent utilisée en sciences exactes car elle guide la réflexion en transportant les connaissances d'une branche à l'autre. Seulement, après avoir exploité la modélisation, on peut toujours dans ces sciences construire une théorie *ad hoc* qui entérine le résultat ou, éventuellement, l'infirme; comme la théorie est une démarche rigoureuse, on oublie le plus souvent la modélisation qui l'a inspirée.

Pourtant, un problème analogue d'identification des variables se pose quand même pour la relation entre mathématiques et réalité physique, et il est également irrésolu: par deux fois déjà, la culture a imposé des idées sur la nature des variables physiques qui semblaient indubitables, mais qui se sont trouvées subitement en défaut. Ainsi l'additivité des vitesses et la continuité de la variable énergie étaient des axiomes tout naturels de la mécanique classique; il a fallu les abandonner pour construire la théorie de la relativité et la mécanique quantique. Même si au début l'erreur paraissait faible, la correction a bouleversé notre représentation du monde physique. Ces révolutions furent déclenchées *a posteriori*, après que l'expérience eut refusé de valider certaines des prédictions de l'ancienne mécanique. Une troisième mésaventure n'est d'ailleurs pas exclue qui devrait conduire au cœur du problème du déterminisme et de la prévisibilité: il s'agit, pour les spécialistes, de la question de la commutativité des variables d'espace [5].

La modélisation sera validée a posteriori

La validation *a posteriori* est donc un moyen légitime pour juger de la valeur d'une théorie, en particulier de la valeur de la modélisation du complexe par le simple. En conséquence, la méthode consistera à faire correspondre les variables que la pratique désigne comme importantes dans les réalités simple et complexe; ces correspondances seront ensuite jugées suivant le nombre et la portée des parallélismes qu'elles feront surgir: parallélismes de structure, parallélismes de comportement. S'ils embrassent une partie prépondérante des propriétés du système complexe, on peut admettre que le risque d'erreur est faible et que ces propriétés se trouvent expliquées de façon plausible. Tel sera l'enjeu du chapitre 4: établir une modélisation sur la base de quelques systèmes physiques réputés simples, modélisation qui sera appelée le *paradigme évolutionniste*; l'appliquer à des systèmes reconnus comme beaucoup plus complexes; enfin recenser les parallélismes qui se présentent entre ces systèmes et les prédictions avancées par le paradigme. L'idéal serait de voir comme en physique les explications confirmées par la découverte des interactions responsables, mais il faudra sûrement encore beaucoup attendre pour les systèmes biologiques ou mentaux. Au moins aura-t-on exploité au mieux les connaissances déjà acquises et leur transfert par la modélisation suggérera peut-être les expériences qui la valideront définitivement.

A ce stade, le jugement reste donc subjectif et, même très positif, il ne peut être tenu pour probant. La modélisation n'atteindra donc peut-être jamais la rigueur relative qui lie mathématiques et physique, et la conséquence en est qu'elle n'aura peut-être jamais la sûreté et le pouvoir prédictif que cette rigueur procure. Cela ne l'empêche nullement de servir d'outil de représentation et d'explication au niveau abstrait, mais il faut prendre garde: la représentation élaborée n'est pas nécessairement pertinente ou définitive, et les déductions qu'elle inspire ne sont pas nécessairement vraies: la modélisation ne fournit que des résultats *plausibles* et même si leur justesse intrigue le lecteur, il est libre de garder ses distances.

Conclusion

Pour le moment, l'important est de réaliser qu'il y a une raison proprement technique de faire de la modélisation des systèmes complexes, raison au fond identique à celle qui a poussé les physiciens à utiliser les mathématiques: elle supplée aux limitations inhérentes au raisonnement logique et, de complètement irrationnel l'ordre en devient intelligible. Tout en gardant à l'esprit qu'il ne s'agit que d'arguments de plausibilité, le physicien est donc bien placé pour discuter de la prééminence de l'ordre dans le monde réel, même dans les manifestations complexes qui peuplent le monde mental. A partir des idées nouvelles sur la création et la disparition de l'ordre, il peut même s'aventurer à discuter de la dynamique esthétique car, comme le montre la suite de ce livre, la dynamique de l'acquisition d'ordre semble se manifester de pareille façon tant dans les sciences que dans les arts.

2 LES STRUCTURES ÉMERGENTES

La Nature est un temple où de vivants piliers
Laissent parfois sortir de confuses paroles;
L'homme y passe à travers des forêts de symboles
Qui l'observent avec des regards familiers.

Correspondances
BAUDELAIRE, *Spleen et idéal*

2.1 INTRODUCTION

Ce sera donc de la question du comment que traiteront ces premiers chapitres: comment peut-on s'imaginer que l'ordre s'installe lorsqu'un grand nombre d'objets participent d'un système complexe? La réponse que propose la physique fait état d'une tendance des objets les plus simples de la matière: elle est absolument *spontanée* et, pour autant qu'on sache, elle ignore toute finalité préexistante. Cette réponse nous met donc à l'abri des idées préconçues que l'esprit est si habile à glisser parmi nos observations. La simplicité n'est pourtant pas la banalité, et à l'examen des systèmes physiques, l'acquisition d'ordre va se révéler une affaire subtile où se mêlent toutes les nuances de l'imprévisible et du nécessaire.

L'ordre repose sur des interactions en boucle fermée

Elle est même si subtile que l'ordre est resté jusqu'à nos jours une énigme pour les physiciens: la thermodynamique, théorie des mieux assurées par les règles de la causalité, prévoit au contraire que le désordre ne devrait que croître dans l'univers pour finalement l'envahir. Or il faut bien reconnaître qu'en fait l'ordre s'installe et persiste de lui-même dans la plupart des systèmes physiques: à cet égard, même les particules que l'on dit élémentaires sont complexes, mais les exemples les mieux connus se trouvent en cosmologie, dans la matière condensée et surtout dans la matière vivante. Aujourd'hui cependant, cette ubiquité de l'ordre est en passe de trouver explication dans la nouvelle discipline qui va bouleverser notre vision de la morphogénèse: la *dynamique des systèmes non linéaires*. Elle rend compte du fait qu'un système peut devenir le siège d'un processus organisateur si les éléments qui le composent ont entre eux des relations en boucle fermée. Lorsque les conditions que la théorie définit précisément sont remplies, elle prédit qu'un ordre à grande échelle s'établit durablement, spatial ou spatio-temporel;

dans cet ordre, les éléments se trouvent arrangés dans des relations mutuelles fixes et répétées indéfiniment dans l'espace et dans le temps. On dit que le système est alors doté d'une *structure émergente*, terme qui rappelle qu'elle émerge d'un état initial où rien ne laissait présager la nouvelle règle d'arrangement. Souvent l'état initial est totalement chaotique, et pourtant l'acquisition de l'ordre mène par étapes jusqu'au cristal parfait (7): l'arrangement des atomes y est sans faille et il représente un réel défi à la compréhension intuitive. Ce défi est très instructif quant à la dynamique des particules matérielles, et il est relevé dans le texte parallèle en relation avec le deuxième principe de la thermodynamique (§ 2.2-2).

*7. **Cristaux de quartz fumé**. Le mode de croissance ne privilégie que les faces prismatiques et rhomboédriques; il en résulte des formes équilibrées et harmonieuses.*

2.2 LE CHAOS MOLÉCULAIRE

En physique, le prototype du système chaotique est le gaz chaud. On se l'imagine fait de particules qui se meuvent à grande vitesse, d'autant plus grande que la température est élevée, et qui s'entrechoquent dans une sarabande insensée et éternelle. Il est donc absolument impossible de prédire le mouvement qu'aurait une particule donnée à un moment donné. On sait maintenant par la dynamique des systèmes non linéaires que cet état de désordre s'ensuit simplement de la nature particulaire de la matière: si l'on arrange, par des moyens physiques quelconques, que deux objets de *très petites dimensions* fassent collision, il est impossible de prédéterminer leur destinée après la collision. En effet, la plus petite différence sur les directions d'approche a pour effet de modifier complètement les directions de sortie de la collision. Or il y a une limite finie à la précision avec laquelle on peut physiquement arranger les directions d'approche, de sorte que l'indétermination des directions de sortie est non seulement finie elle aussi, mais beaucoup plus grande. Cette amplification de la dispersion initiale est d'ailleurs bien connue des joueurs de billard (8): le premier joueur est chargé de disperser les quinze boules rassemblées dans un triangle, et les partenaires savent que d'un seul coup les boules se disposeront pratiquement au hasard, à moins que le joueur dispose de talents exceptionnels. C'est par ce processus de dispersion spontanée, répété des milliards de milliards de fois, que les gaz accèdent spontanément au désordre maximal et y restent définitivement.

8. ***Ouverture du jeu de billard:*** *d'un seul coup, les billes rassemblées en ordre parfait sont éparpillées au hasard sur la table. Le désordre est produit à la faveur des collisions multiples qui suivent l'irruption de la boule incidente. Comme le montrent les traces laissées par exposition prolongée dans cette phototgraphie, les boules sont éjectées dans des directions quelconques, voire presque opposées à la direction de la boule incidente.*

Cette conclusion se généralise à tous les systèmes laissés à eux-mêmes, quelle qu'en soit la structure matérielle, et aucune exception n'est connue dans l'univers physique: *le désordre maximal est un état d'équilibre global au sens thermodynamique, et tout système isolé de l'extérieur s'y rend spontanément.* C'est le contenu du fameux *deuxième principe* de la thermodynamique. Toute explication recevable du point de vue physique lui est nécessairement conforme, en particulier l'explication de l'ordre qui suit.

2.3 L'ACQUISITION DE L'ORDRE

Si l'on met le gaz chaud en contact avec de la matière plus froide, chacun sait qu'un moment vient où il commence à se liquéfier: dans la partie liquide, les molécules glissent les unes sur les autres au lieu de rebondir comme dans le gaz. Au sens physique, l'ordre est bien plus grand dans la partie liquéfiée puisque les distances entre molécules sont maintenant toutes de même valeur, mais il y a désordre résiduel car les directions mutuelles restent encore incoordonnées et imprédictibles. Ce désordre disparaît à son tour si l'on continue à abaisser la température: la solidification survient qui arrange strictement les distances et les directions, et le gaz initialement désordonné est devenu un cristal parfaitement ordonné.

En physique, on appelle *phases* les parties homogènes des substances entre lesquelles il peut y avoir échange de molécules. Seule la structure diffère d'une phase à l'autre, par exemple du gaz au liquide, ou du liquide au solide, et de ce fait l'échange s'accompagne d'une variation de l'ordre: les *changements de phases* offrent le modèle d'élection pour discuter de la montée vers l'ordre. Ces changements sont bien sûr causés par les forces attractives qui existent entre les molécules et qui sont d'autant plus intenses que les molécules sont plus proches. Dans le gaz chaud, les particules vont trop vite pour que les forces mutuelles les lient, mais le refroidissement les ralentit progressivement et la condensation devient possible. Encore faut-il se représenter la construction de la phase plus ordonnée; par exemple, lors du passage du gaz au liquide, comment se fait-il que tout à coup les molécules cessent de rebondir les unes contre les autres et restent au contraire accolées?

Construction de la phase ordonnée

Effectivement, s'il y a force mutuelle attractive entre deux particules, on comprend qu'elles s'attirent avant de se toucher, mais la collision n'en sera que plus violente et elles se sépareront d'autant plus vite! Visiblement, la réponse est introuvable si l'on se restreint à deux particules: l'acquisition d'ordre dépend de la présence de *très* nombreuses particules au même endroit. Si une particule supplémentaire arrive à cet endroit, elle est bien accélérée par les forces mutuelles, mais la vitesse ainsi acquise est progressivement partagée par collisions multiples avec les nombreuses particules déjà présentes: il y a freinage graduel par chocs successifs, chacun soustrayant un peu de l'énergie gagnée. Le même phénomène se produit dans un jeu de quilles: la boule est graduellement freinée quand elle pénètre dans le groupe de quilles. L'irruption est cependant dangereuse car elle pourrait disperser les particules déjà assemblées, c'est-à-dire les réévaporer; mais le grand nombre joue à nouveau, et il fait que l'énergie déposée par le freinage est communiquée aux particules plus lointaines par d'autres chocs encore. De cette façon l'énergie libérée est rapidement propagée au loin: elle se manifeste comme une petite vague de chaleur, chaleur qui est retirée grâce au contact avec l'environnement plus froid; dès lors, le gaz peut continuer à se condenser par captures de particules supplémentaires dans la phase liquide.

L'acquisition d'ordre commence par une fluctuation

Visiblement, la présence de matière déjà condensée est indispensable pour que le phénomène commence; lorsqu'une vapeur est prête à se condenser, il faut donc que se produise un événement spécial qui réunisse assez de particules pour contrefaire localement la structure du liquide. Or il suffit d'attendre pour que le hasard s'en charge: les *fluctuations* de haute densité vont servir de germe à la condensation. Le démarrage de la liquéfaction est d'ailleurs facilité si des atomes étrangers sont présents, par exemple des impuretés ou simplement les atomes constituant les parois du récipient: ils attirent les molécules de la vapeur et accroissent les chances que la structure du liquide se reproduise autour d'eux.

L'ordre est fixe, le désordre est mobile

Le grand nombre joue donc deux fois le rôle essentiel dans la construction d'une phase ordonnée, la première fois en freinant les particules arrivantes, la deuxième fois en dispersant finement l'énergie de liaison libérée par les forces mutuelles. La dialectique ordre-désordre est effectivement contenue dans ce double rôle: tandis que la capture de nouvelles particules accroît l'ordre dans le milieu, de l'énergie est fractionnée entre particules voisines et le désordre est aussi augmenté. Cependant, les destins de l'ordre et du désordre diffèrent totalement. Alors que l'ordre se trouve fixé définitivement par les captures dans le milieu, le désordre est sous une forme mobile et il peut quitter le milieu pour gagner l'environnement. En d'autres termes, *l'accroissement de l'ordre reste localisé tandis que le désordre correspondant diffuse au loin.* Le bilan ordre-désordre est donc nul dans l'ensemble système-environnement, ce qui est compatible avec le deuxième principe de la thermodynamique. En effet, le deuxième principe, dans cet ensemble par hypothèse isolé du reste de l'univers, requiert que le désordre global reste *au moins égal au maximum* qu'il avait atteint avant la condensation.

L'acquisition d'ordre est un phénomène spontané

Mieux que cela: le deuxième principe favorise les échanges de chaleur dits irréversibles, c'est-à-dire les échanges entre corps chauds et environnement nettement plus froid. La raison en est que dans l'environnement froid, l'énergie est plus finement divisée entre particules de cet environnement et le désordre est accru entre les *vitesses* de ces particules. Il faut saisir à ce point que, pour la physique, les variables positions et vitesses sont absolument équivalentes et qu'en conséquence les collisions peuvent échanger sans entrave le désordre dans les positions et le désordre dans les vitesses; par exemple, les positions s'ordonnent à l'intérieur tandis que les vitesses se désordonnent à l'extérieur. Ces échanges se déroulent spontanément tant que le désordre *total* y gagne et ils sont à l'origine du lien entre chaleur et changement d'ordre. Contrairement à la physique, l'esprit se fait des conceptions très différentes de la variable position et de la variable vitesse, de sorte que le lien ordre-chaleur reste énigmatique même pour des scientifiques entraînés.

En résumé, si l'environnement est assez froid, il recueille rapidement et définitivement la chaleur libérée par les captures dans le système. L'acquisition d'ordre est alors un phénomène nécessaire, ou spontané, en toute conformité avec le deuxième principe appliqué à l'ensemble système-environnement. L'ordre acquis est même protégé car il reste stable tant que l'environnement maintient des conditions de température raisonnablement voisines de celles qui l'ont fait apparaître.

L'ordre ainsi acquis peut être complexe

L'acquisition de l'ordre résulte toujours d'une multitude de processus aléatoires; la complexité de l'ordre n'est pas en cause et elle peut atteindre sans autre le niveau caractéristique de la matière vivante. La formation des protéines le démontre: on sait qu'elles sont construites à partir du génôme sous la forme initiale de chaînes com-

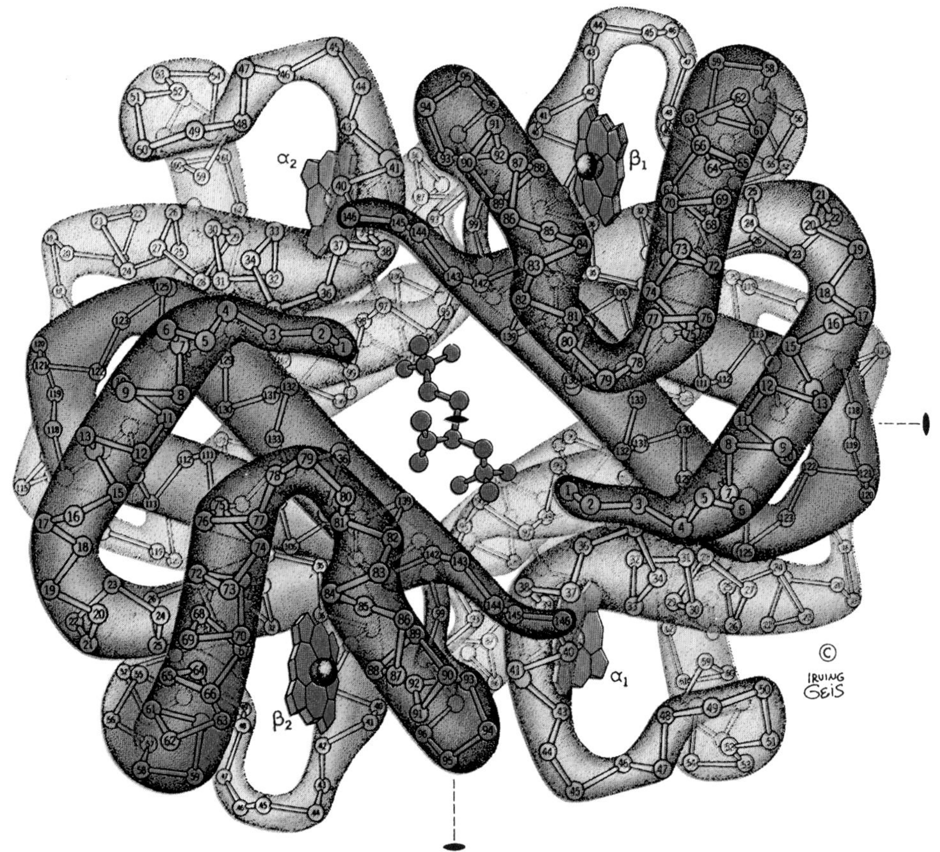

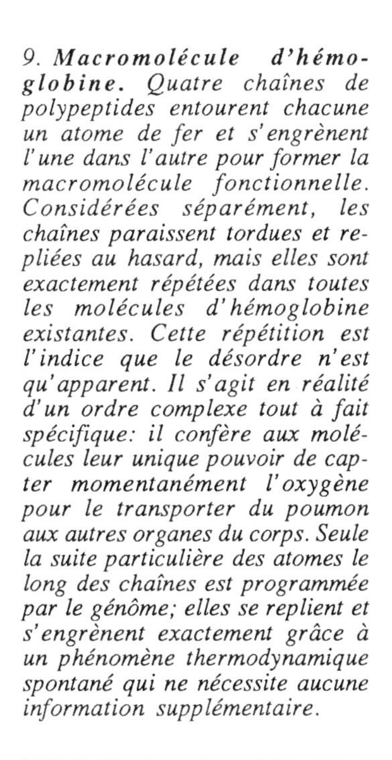

9. ***Macromolécule d'hémoglobine.*** *Quatre chaînes de polypeptides entourent chacune un atome de fer et s'engrènent l'une dans l'autre pour former la macromolécule fonctionnelle. Considérées séparément, les chaînes paraissent tordues et repliées au hasard, mais elles sont exactement répétées dans toutes les molécules d'hémoglobine existantes. Cette répétition est l'indice que le désordre n'est qu'apparent. Il s'agit en réalité d'un ordre complexe tout à fait spécifique: il confère aux molécules leur unique pouvoir de capter momentanément l'oxygène pour le transporter du poumon aux autres organes du corps. Seule la suite particulière des atomes le long des chaînes est programmée par le génôme; elles se replient et s'engrènent exactement grâce à un phénomène thermodynamique spontané qui ne nécessite aucune information supplémentaire.*

plexes dont les maillons sont des acides aminés (9). Toutefois ces chaînes ne deviennent fonctionnelles qu'après s'être repliées et enroulées en globules caractéristiques, opération semble-t-il compliquée mais qui n'est pas programmée par le génôme: bien qu'elle aboutisse à la structure spécifique de la protéine, elle est la conséquence directe du deuxième principe [6]. En effet, les acides aminés portent des charges électriques qui sont à même d'arranger les molécules d'eau au voisinage, de sorte que la chaîne étendue tend à s'entourer d'une gaine d'eau très ordonnée; cet arrangement est toutefois bien moins probable que l'état replié où seules sont ordonnées les quelques molécules d'eau en contact avec la surface du globule. Les replis sont de leur côté très complexes car ils s'ajustent aux interactions entre les acides qui se succèdent dans l'ordre dicté par le génôme le long des chaînes. Il n'empêche que l'état replié représente bel et bien le désordre *total* le plus grand, et c'est cet état qui est le plus souvent réalisé: en majorité écrasante, les protéines enroulées au hasard des collisions successives sont justes. Comme dans la cristallisation, ordre et désordre se trouvent redistribués: l'ordre est accru localement entre les brins qui se replient, et un désordre équivalent diffuse au loin dans l'eau environnante, emportant l'énergie libérée quand les brins se lient les uns aux autres.

Conclusions

Ces explications ne sont pas vraiment compliquées, mais elles demandent déjà un «sens physique» que seule l'habitude peut donner. Pourtant elles ne répondent pas à toutes les questions: pourquoi, par exemple, l'acquisition d'ordre se produit-elle à température rigoureusement fixe dans les substances pures comme l'eau, ou au contraire sur des plages plus ou moins étendues dans les mélanges comme les graisses? La discussion en termes de particules en collision devient alors laborieuse sans être jamais satisfaisante, et les mathématiques sont seules à donner une réponse nette.

On peut ici conclure que dès qu'on admet l'existence d'interactions mutuelles entre éléments d'un système, l'apparition d'ordre n'a rien de surnaturel, même si le détail du processus échappe au sens commun; de plus l'ordre peut s'imposer spontanément quand le système est en contact avec des parties plus froides de son voisinage. Quant à la complexité de cet ordre, elle dépend de la nature des interactions, et c'est leur grande variété qui fait la richesse des arrangements que l'on rencontre dans la nature.

2.4 LE DÉVELOPPEMENT EN ARBORISATION

Le développement en arborisation figure parmi les arrangements les plus intéressants du point de vue de l'acquisition de l'ordre: il est extrêmement fréquent et il est facilement reconnaissable à divers niveaux de complexité, allant de la physique élémentaire jusqu'au monde vivant, et même jusqu'au monde mental (10).

Le nid de fourmis

L'exemple le plus simple, et qui nous servira souvent, est réalisé par la formation d'un nid de fourmis (10c). Bien loin d'être l'effet d'un

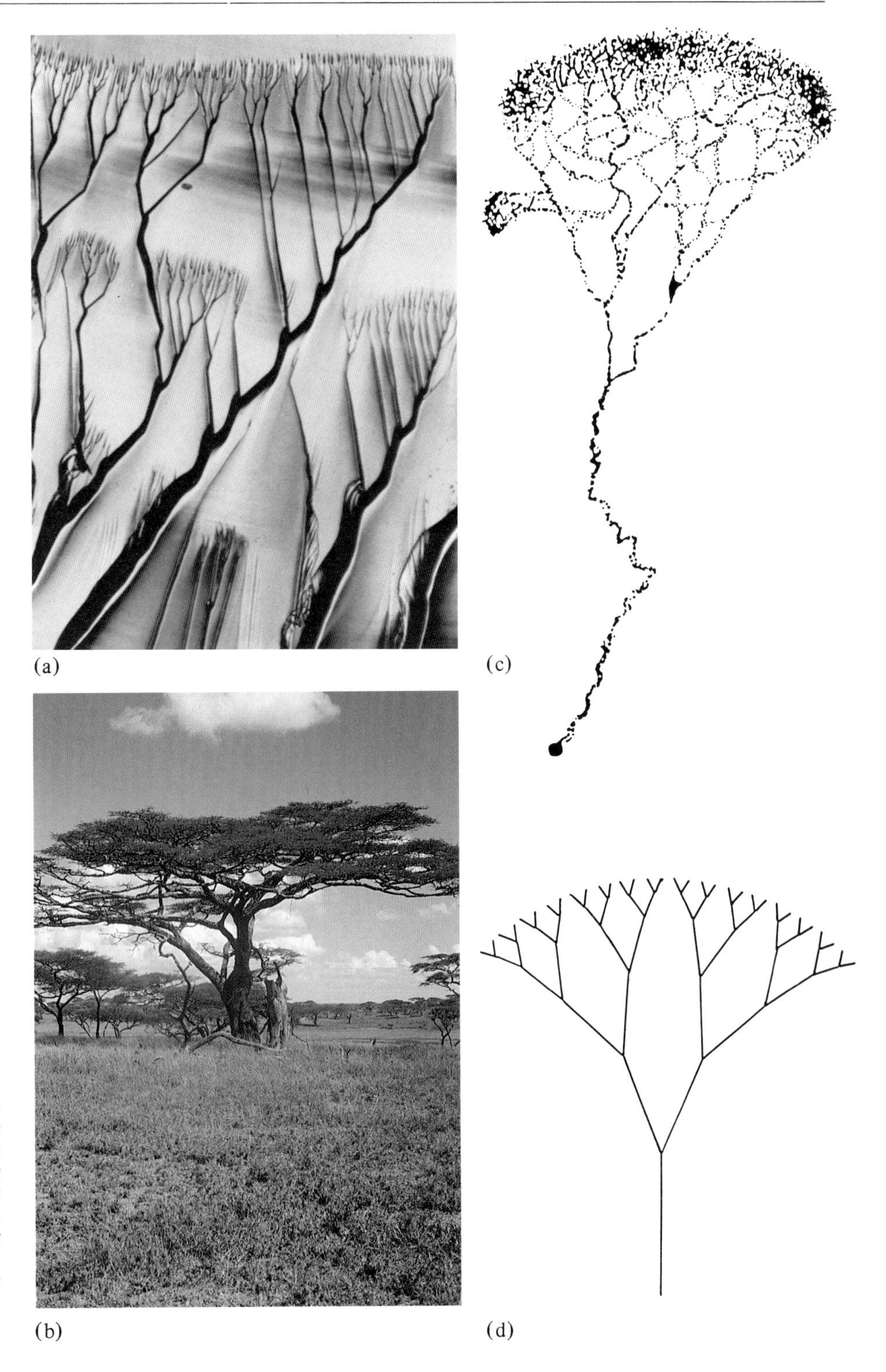

10. ***Structures en arbre.*** *Ce type de structure traverse tous les règnes de la création: (a) règne minéral, réseau de fissures dans un métal fragile; (b) règne végétal, arbre; (c) règne animal, nid de fourmis, dessin d'après nature de C. W. Rettenmeyer; (d) règne mental, structure de bifurcations en cascade.*

hypothétique instinct, ce développement est une affaire de chimie assez simple: en marchant, les fourmis déposent une *phéromone* – une protéine odorante – sur le terrain, mais par ailleurs elles sont si sensibles à cette substance qu'elle leur dicte de se diriger vers les endroits de haute concentration. Le lecteur reconnaîtra là une interaction entre éléments d'un système, les fourmis de la colonie; il reconnaîtra de même que, du fait de cette interaction, chaque élément est guidé par l'action *cumulée* d'un grand nombre d'autres éléments. En physique, on parle alors d'une interaction attractive à *longue portée*, et l'analyse mathématique montre comment l'arborisation se constitue: passée une concentration critique, la divagation des bêtes s'ordonne en cheminements rectilignes étroits; ces cheminements ne peuvent néanmoins s'allonger indéfiniment car ils sont instables, et ils doivent se terminer par une bifurcation d'où divergent deux nouveaux cheminements [7]. De la sorte et tant qu'il n'y a pas d'obstacle au développement, le nid va se construire de proche en proche selon une structure émergente faite de bifurcations imbriquées en cascade, comme illustré en (10d). Cette géométrie idéale, dite *fractale*, a deux symétries: l'une est axiale, imposée par le motif fondamental, la bifurcation, et l'autre est une *symétrie d'échelle* où le motif est répété indéfiniment mais avec des dimensions qui se réduisent à chaque pas.

Le talent de coloniser, de la physique au mental

Ce type de géométrie est extrêmement courant dans la nature, et les images qui accompagnent ce texte le démontrent: il signe le développement qui agence la dispersion à partir d'un point de naissance, et l'on peut parler à bon droit d'un *schème universel de colonisation de l'espace* (§ 2.5).

D'innombrables variantes existent: souvent les points de bifurcation sont distribués plus ou moins au hasard, comme dans le nid de fourmis que l'on vient de voir; il en va de même pour les points de confluence dans le bassin d'accumulation d'un fleuve, ou les divisions des bras dans le delta qu'il creuse à l'orée de la mer; les dentrites d'un neurone du cortex se partagent aussi au hasard (11), comme les filaments de plasma dans un coup de foudre (12). Les divisions peuvent donc être plus ou moins conditionnées par le milieu exploré, mais si ce milieu est réellement homogène, on sait que les bifurcations s'ordonnent strictement: ainsi, les décharges électriques obtenues en laboratoire peuvent être extrêmement régulières lorsqu'on prend soin de répartir la charge uniformément (13). Cette régularité se retrouve dans un autre phénomène physique qui peut devenir très ordonné, la lente croissance du givre sur une vitre (14); la ressemblance avec certaines croissances végétales est évidente (15).

11 et 12. ***Arborisations aléatoires:*** *neurone du cortex, d'après Ramon y Casal, 1909 [9]; foudre ascendante.*

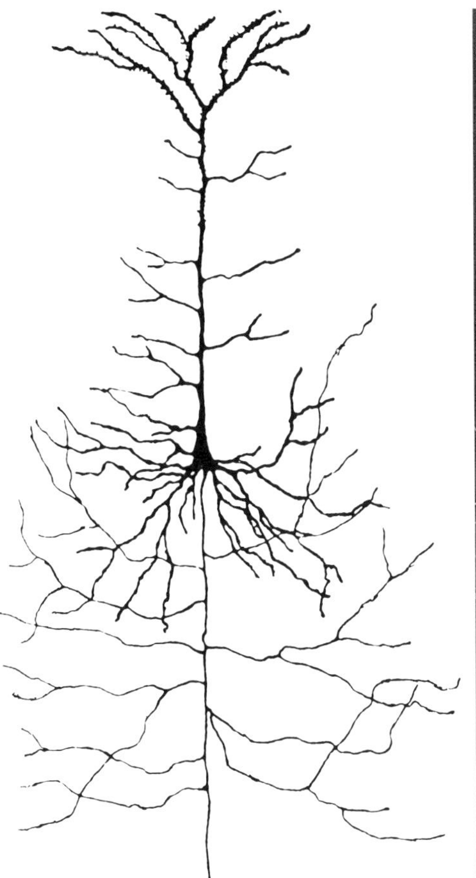

13, 14 et 15. ***Arborisations régulières:*** *décharge électrique dans une plaque de lucite préalablement chargée par implantation d'ions; croissance de givre sur une vitre; palmier.*

Rotations et spirales

Le grand photographe A. Feininger a reconnu maintes de ces profondes ressemblances [8]. Il est aussi ingénieur et il s'insurge contre cette idée reçue en sciences exactes qu'il ne s'agit que de coïncidences:

16, 17 et 18. ***Spirales:*** *construction à l'ordinateur; pomme de pin et coquille de nautile.*

même si les interactions nécessaires ne sont pas connues, il est déraisonnable de négliger des connaissances si manifestes. Par exemple, une variante de la structure fractale consiste à rendre la bifurcation dissymétrique (16), fantaisie que l'on pourrait croire réservée au monde mental mais que le monde végétal et animal a abondamment utilisée (17, 18): la spirale a des vertus magiques qui protègent les relations topologiques entre organes contre les déformations. C'est une découverte récente qui renouvelle notre vision de la croissance de certains êtres vivants, et sur laquelle on reviendra à propos de l'évolution (§ 3.4).

Un dernier exemple combine simplement symétries de rotation et d'échelle en répétant le motif de l'arbre autour d'un axe de rotation, comme les végétaux le font couramment le long des tiges et des troncs (19). L'équivalent mental est la rosace gothique (20), dont l'originalité s'avère ainsi bien trompeuse.

19 et 20. ***Superposition de symétries de rotation et d'échelle:*** *tige de plante vue par le bout; rosace de l'Eglise Saint-Marc, Venise.*

Les croissances laplaciennes

Les croissances observées en physique résultent de la combinaison de deux phénomènes distincts. Le premier est un phénomène d'instabilité locale qui régit l'agrégation à la frontière de la structure en croissance. Tandis que ce premier phénomène dépend de la nature du

21, 22 et 23. ***Croissances par bourgeonnement:*** *dendrite, arborescence saline cristallisée à l'intérieur des fissures d'un matériau pierreux; chou-fleur; objets fractals.*

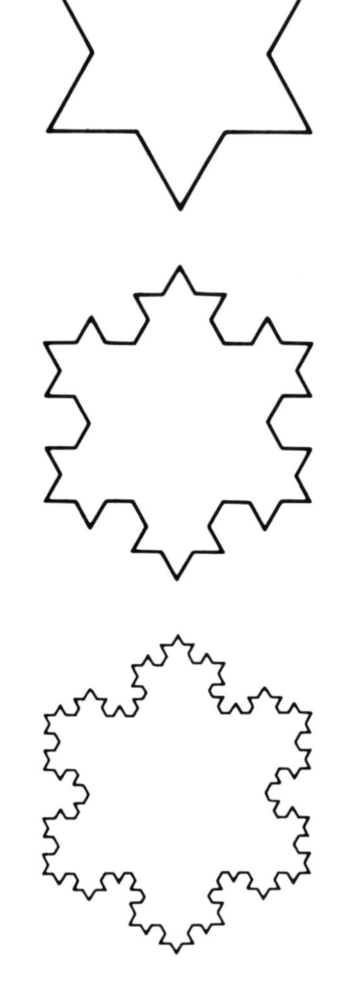

système, le second est général et gouverne la diffusion dans le milieu en direction de la structure. De ce fait, les croissances ont toutes une description mathématique semblable: elle comprend une équation de diffusion, dite de Laplace, raison pour laquelle les croissances sont appelées laplaciennes. En conséquence, les motifs créés se ressemblent quels que soient les phénomènes physiques particuliers provoquant la croissance; ils peuvent néanmoins prendre des aspects très variables à nos yeux suivant l'importance du hasard dans la répartition des embranchements. L'aspect le plus familier est le bourgeonnement: ainsi, les microfissures dans les matériaux (21) ont un mode de propagation qui mime la croissance du chou-fleur (22). Le bourgeonnement se perçoit aussi dans le monde purement mental des objets *fractals*, objets qui peuvent être dessinés suivant des règles géométriques très simples (23): sur les côtés d'un motif initial à symétrie de rotation, ajouter ou soustraire le même motif préalablement réduit, et répéter l'opération sur les côtés introduits. L'étonnement est à son comble quand on constate que la nature joue le même jeu, avec additions et soustractions

24. ***Flocons de neige:*** *objets fractals naturels construits par additions ou soustractions de matière suivant les conditions physiques ambiantes, telles que sous-refroidissement ou pression de vapeur. Ces conditions sont identiques pour les six branches en croissance simultanée et le déterminisme assure que les constructions gardent une symétrie d'ordre six presque parfaite; cependant, comme chaque flocon croît dans des conditions ambiantes légèrement différentes, les constructions observées sont uniques et, parfois, étonnamment complexes.*

mélangées, pour construire ces merveilles d'esthétique que sont les flocons de neige (24).

Un dernier exemple de croissance laplacienne est donné par l'interpénétration de fluides de différente viscosité (25a): on y voit croître des «doigts» qui, à partir d'une largeur critique, se subdivisent en deux «doigts» plus minces. Une fois de plus, les phénomènes physiques diffèrent mais les mêmes motifs sont observables, soit des configurations hautement symétriques analogues aux flocons de neige, soit des arborescences fractales (25b) analogues aux décharges électriques ou aux microfissures dans les matériaux.

*25. **Interpénétration de fluides de viscosité différente:** les fluides sont enfermés dans une «cellule de Hele-Shaw» faite de deux plaques de verre distantes de quelques millimètres. Souvent l'interface entre les fluides est instable et donne lieu à des arborescences: a) formation de «doigts» par un sirop visqueux s'écoulant dans l'air; b) arborescence fractale formée par de l'encre injectée dans du lait condensé.*

(a)

(b)

2.5 COLONISER L'ESPACE À BON COMPTE

Le monde vivant utilise abondamment le développement en arborisation et la raison est facile à trouver: sa puissance n'égale que l'économie de l'information nécessaire pour le programmer. En effet, dès qu'une substance chimique convenable est trouvée, quelques constantes supplémentaires suffisent qui en fixent la production, la dissociation et la diffusion. Les systèmes vivants disposent ainsi d'un moyen parcimonieux de construire des sous-systèmes étendus et à première vue inexplicablement compliqués.

L'exemple le plus frappant est sans doute la colonisation des fibres musculaires par le système nerveux de l'embryon; c'est, à entendre les biologistes, une expérience étonnante que de suivre cette invasion qui semble être dirigée de main de maître. On l'imagine facilement, elle serait prohibitive à programmer fibre par fibre au moyen d'instructions successives dans le génôme: en fait elle peut s'organiser d'elle-même à partir du jeu de quelques substances chimiques qui ont des propriétés analogues à celles de la phéromone. Ainsi, en parfaite analogie avec les cheminements du nid de fourmis en cours de croissance, on voit les neurones explorer le tissu embryonnaire en projetant des arbres dont les branches se divisent par scissions successives. A nouveau, les points de scission sont imprévisibles et les arbres construits sont extrêmement compliqués; pourtant toutes les cibles voulues sont atteintes pour un coût en gènes qui est dérisoire. Il arrive même qu'une fibre soit touchée plusieurs fois, mais l'épigénèse du système neuromoteur se poursuit par l'élimination des contacts superflus et elle aboutit à l'innervation unique de chaque fibre musculaire [9].

2.6 L'ART ET LA SYMÉTRIE FRACTALE

Chaque fois que l'homme exprime sa déférence à l'égard du monde mystérieux qu'il habite, la symétrie simple réapparaît avec toute sa puissance d'évocation pour l'esprit. Par exemple, de par son lien secret avec la croissance, la symétrie fractale exprime naturellement le mouvement et l'évolution. Ainsi, pour traduire l'éternelle vitalité de la nature, le peintre redessinera patiemment les arabesques imprévisibles des frondaisons et leurs innombrables ramifications fractales; ou bien ce sera un paysage alpestre avec les érosions fractales qui marquent l'altière soumission du roc à l'action des eaux et du vent (26, 27).

Le fractal, l'infini et le nombre trois

Développée sans fin dans sa parfaite régularité, la symétrie fractale a la vertu de rendre sensible l'idée abstraite de l'infini: elle est utilisée aussi bien par Escher dans ses études géométriques du plan (28) que par l'art islamique pour exprimer l'immensité qui sépare le fidèle de la Divinité (29). Mais pour indiquer seulement la symétrie d'échelle, trois niveaux suffisent: les deux premiers définissent le rapport de réduction, le troisième affirme qu'il est répétable. Le nombre trois est en vérité un nombre magique universellement honoré. La raison en est que, même ainsi réduite, la symétrie fractale garde tout son pouvoir d'évocation (5), à témoin la version descendante qui donne sa superbe assise au Mausolée de Humayun (30).

26. Caspar David Friedrich, ***Falaise de craie à Ruegen,*** *1818. Rencontre romantique de structures fractales naturelles à deux niveaux de complexité différents, érosions minérales et frondaisons végétales. Rencontre aussi, inopinée, de deux attitudes face au mystère: chercher à comprendre sans voir et voir sans chercher à comprendre.*

27. René Magritte, ***Le dernier cri,*** *1967. Etude sur l'autosimilitude des structures fractales, cette toile est la dernière œuvre du peintre. Il avait souvent représenté la similitude entre les branches de l'arbre et les nervures de la feuille. Dans cette toile, il en dévoile la secrète unité avec la similitude entre les reliefs montagneux et les failles qui animent la pierre.*

28. M. C. Escher, ***Limite circulaire IV (le Ciel et l'Enfer),*** *1960. Multiplication des motifs et réduction de leurs dimensions donnent une symétrie fractale qui enferme l'infini dans le fini.*

29. ***Intérieur de la coupole de la Mosquée du Shah,*** *Ispahan, début XVIIe siècle. Les motifs découpent la coupole en zones concentriques de plus en plus étroites; d'abord richement décorés, ils s'épurent au cours de l'ascension: deux variables sont couplées comme dans une structure fractale ascendante. Un saisissant effet de perspective est créé qui projette le centre de la coupole à l'infini. Selon les mots de R. Garaudy, «ces entrelacs de fleurs et de tiges suscitent l'illusion d'espaces multiples irréels qui échappent à tout ce que peut suggérer la pesanteur de la matière» [10].*

30. ***Mausolée de Humayun,*** *Dehli, art moghol 1557-1565. Ce mausolée incarne toute la puissance d'évocation de la structure fractale descendante. Symphonie visuelle sur le nombre 3, l'édifice s'inscrit dans un triangle dont la base est trois fois plus grande que la hauteur; l'arc de la coupole s'ouvre sur 3 grands portiques, qui encadrent à leur tour deux rangées de 9 portes; le tout repose sur l'ample plate-forme ornée de 17 arcades (c'est-à-dire 18 moins une, afin que la symétrie impaire soit respectée aux 3 niveaux). L'emprise au sol et le découpage hiérarchisé des arcades marquent le puissant enracinement du monument et, par là, il acquiert l'harmonieuse stabilité qui le rend éternel.*

La Venise fractale

A l'inverse, la version ascendante exprime l'exubérance et le bien-être, et elle ne l'a jamais mieux fait qu'à Venise pendant son apogée: canaux et places sont bordés de façades à ogives étagées, et à chaque étage, le nombre d'ogives augmente tandis que les dimensions décroissent (31, 32). De cette façon se trouve recréée la suite de bifurcations imbriquées en cascade, géométrie fractale qui porte le mouvement vers le haut à la manière des branches d'un arbre. Ainsi l'architecture réussit-elle la gageure d'inscrire dans les pierres la fantastique ascension que la ville a connue à la Renaissance.

*31. **Palazzo Cavalli,** Venise. Avec le portique central, les paires d'ogives entrelacées au premier étage et les ogives simples du deuxième, une structure fractale ascendante est réalisée: les dimensions et la complexité des motifs décroissent tandis que leur nombre augmente.*

Le palais à l'envers

A Venise, l'architecture a même su mêler la facétie à la noblesse. Le Palais des Doges (33, 34) est reconnu comme la plus surprenante réussite architecturale que l'on puisse voir dans le monde: il est inversé, faisant reposer la masse compacte de la maçonnerie sur de minces colonnades – et pourtant l'impression de poids est absente. Si l'on pense à y voir une structure fractale à trois niveaux, on s'explique sans peine le miracle: les ogives sont arrangées dans une symétrie fractale descendante, mais les niveaux inférieurs sont croisés; c'est la facétie, qui coupe le mouvement descendant de sorte que la masse supérieure a l'air

*32. **Ca d'Oro,** Venise. Autre exemple de structure fractale ascendante.*

33 et 34. ***Palais des Doges,*** *Venise. Structure fractale descendante à 3 niveaux, avec inversion des niveaux inférieurs. Le montage photographique met en évidence l'illusion causée par l'inversion. En haut, la structure fractale correcte où le nombre d'ogives croît de 7 à 17, puis à 34; en bas, la structure construite. Bien que les dimensions soient identiques dans les deux images, la maçonnerie paraît plus mince dans l'image inférieure: l'inversion donne l'impression que le mur flotte sans peser sur les graciles colonnades.*

de flotter. Le lecteur peut faire l'expérience du même effet de coupure dans le syllogisme par emboîtements logiques, avatar mental de la symétrie fractale à trois niveaux:

tous les hommes sont mortels,
or je suis mortel,
donc je suis un homme.

Il y a sophisme puisque tous les mortels ne sont pas des hommes, mais la réflexion n'a guère à s'en mêler: chacun sent que le flux de la pensée s'arrête de lui-même et que cet arrêt signale la faute logique. Il faut donc conclure que le Palais des Doges est un *sophisme architectural* délibéré, où le mental se joue avec grâce de l'implacable pesanteur des choses!

2.7 LA PSYCHOLOGIE ET LA SYMÉTRIE

Passant à l'activité mentale, nous allons trouver que la symétrie est omniprésente. Par exemple au chapitre 1, on a déjà présenté la perception comme la reconstruction du réel au cours de laquelle des représentations déjà existantes dans l'esprit sont réorganisées: elles se réarrangent jusqu'à ce qu'elles réalisent une symétrie miroir avec les données sensorielles [11]. Nous aurons l'occasion de voir que cette production de symétries miroir est un processus spontané et caractéristique des systèmes complexes qui s'adaptent à leur environnement. Pour l'heure, la question qui se pose concerne la nature des représentations primitives à partir desquelles l'esprit élabore ses perceptions les plus complexes. Il s'avère que ces représentations primitives sont toutes marquées par des symétries très fortes, parmi lesquelles la symétrie miroir a le rôle privilégié.

L'apprentissage de la communication

Effectivement, dès les instants les plus précoces du développement perceptif, le nouveau-né se montre particulièrement sensible à la symétrie miroir. Ainsi, le visage de ses parents compte parmi les premiers objets à attirer son attention, mais à la condition impérative qu'il soit bien présenté de face [12]. Or il arrive que certains troubles psychopathologiques induisent les parents à présenter leur visage de côté (35);

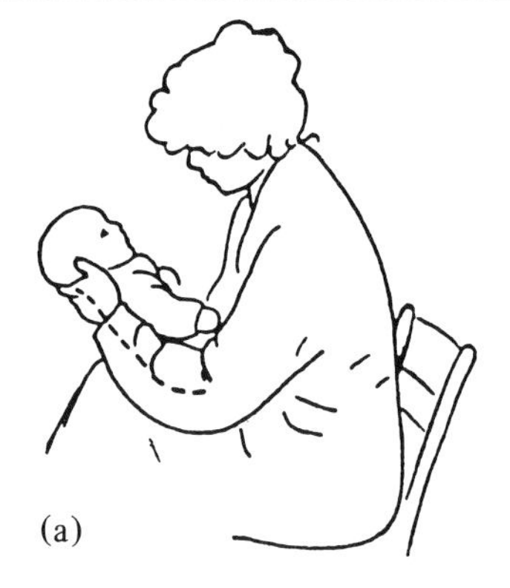

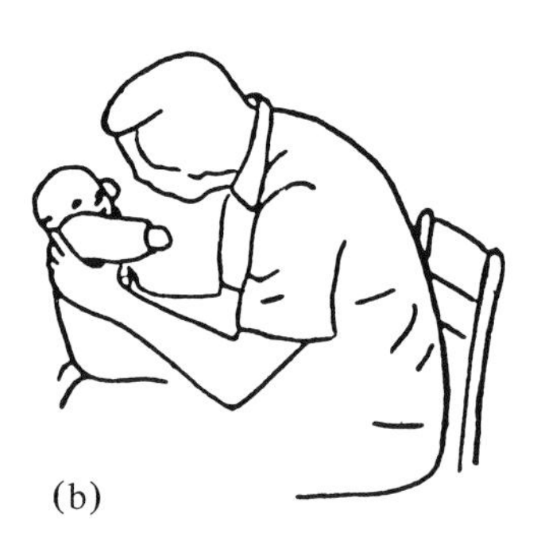

35. ***Postures de dialogue entre adulte et nourrisson*** *[12]. La pleine symétrie (a) avec bassins, torses et visages orientés de face, est reçue comme un signal de disponibilité au dialogue, tandis que la rupture de symétrie (b) est reçue comme signal d'indisponibilité mêlée d'intrusion.*

dans ces cas, la communication s'établit mal, le bébé reste passif et son intégration sociale peut être compromise. *A contrario*, on peut amener ces parents à entrer dans un vrai face à face avec leur enfant, ce qui rétablit le dialogue. Curieusement, le face à face souhaité est une structure complexe et hiérarchisée: il comprend, dans l'ordre, l'orientation parallèle des bassins des deux partenaires, puis celle des bustes, et en dernier celle des visages. C'est cette configuration à pleine symétrie que la plupart des adultes adoptent spontanément; les déviations systématiques, semble-t-il, augurent pour l'enfant des troubles psychiques d'autant plus graves qu'elles se manifestent haut dans la hiérarchie. Il faut donc conclure que la symétrie joue deux fois le rôle fondamental: d'une part, la structure emboîtée, analogue de la symétrie fractale à trois niveaux, se trouve à l'origine de l'apprentissage de la communication et, d'autre part, la symétrie miroir constitue un centre d'intérêt primordial qui éveille l'activité mentale.

Plus tard, quand l'enfant se met à gribouiller, le moment vient où il découvre le cercle et les choses changent: bientôt il le complète en visage et finalement l'identifie comme l'une des personnes de son entourage (36). A la symétrie s'associe ainsi la formalisation, qui ouvre la voie à la physionomisation et à la symbolisation, trois fonctions mentales qui sont constitutives de l'interaction sociale chez les êtres humains [13].

L'homme n'est d'ailleurs pas le seul animal sensible à la symétrie: le chimpanzé la reconnaît sans peine. Après un court apprentissage avec des objets d'intérêt disposés symétriquement, on le voit courir aux positions symétriques chaque fois qu'il découvre l'un de ces objets [14].

Les constantes hallucinatoires

Les états hallucinatoires donnent aussi naissance à des formes simples de haute symétrie et l'art dit psychédélique en a beaucoup montrées: les symétries de translation de damiers ou de nids d'abeilles colorés, les symétries de rotation de motifs kaléidoscopiques, enfin les combinaisons avec les symétries fractales qui aboutissent aux rosaces et spirales de toutes sortes. Ces formes sont aussi utilisées par les malades mentaux qui se mettent à dessiner lorsqu'ils abordent une phase de rémission (37).

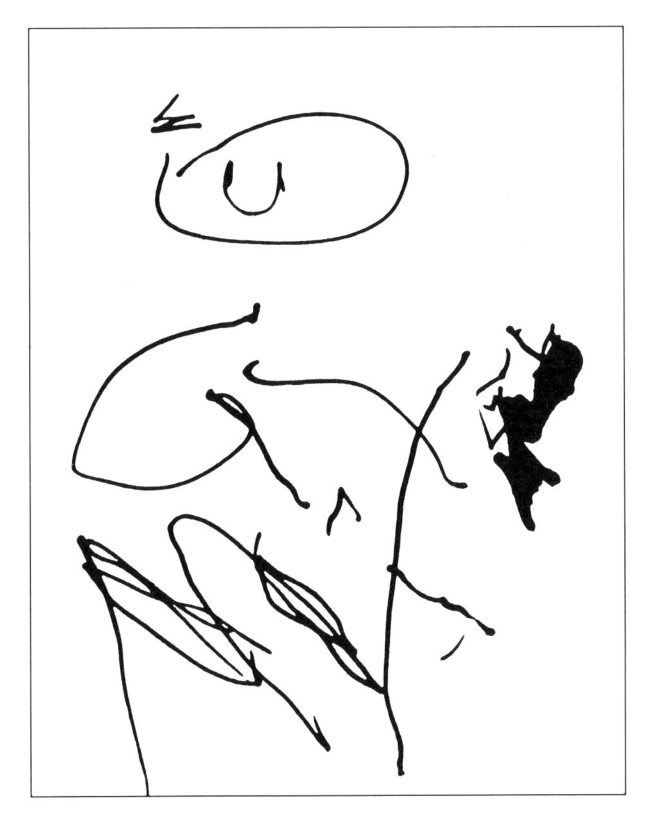

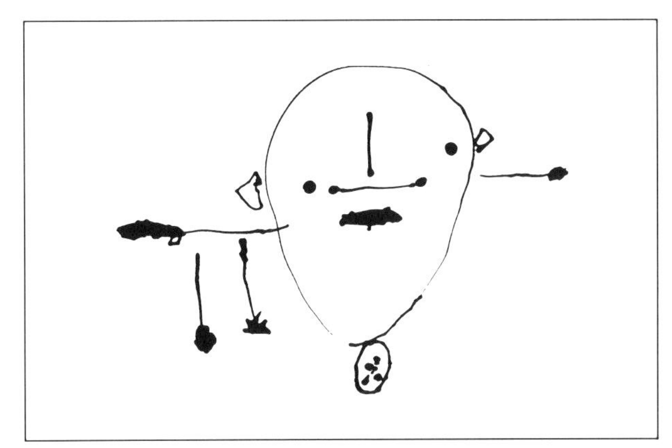

*36. **Dessins d'un enfant à 3 et 4 ans**. Le premier dessin comporte des gribouillages et un cercle apparemment fortuit. Le deuxième est un portrait de son père: les cercles sont délibérés et représentent le visage et le tronc avec les boutons de la blouse de médecin; les autres parties du corps sont encore «dissociées». Formalisation, physionimisation et symbolisation sont les trois fonctions créatives fondamentales de l'être humainn [13].*

*37. **Dessin de malade mental**. Contours accentués et haute symétrie font partie de la formalisation; avec la physionimisation et la symbolisation (ici, dissociation en parties mâle et femelle), on retrouve les trois fonctions créatives fondamentales.*

Il semble qu'il s'agisse de formes primordiales universelles et on les a appelées les *constantes hallucinatoires;* elles inspirent en particulier les symboles archaïques que l'on retrouve dans toutes les cultures, tels que croix, cercles et mandalas (38). Il existe même une école de psychologie de l'art qui prône que toute vision du monde est réductible aux symétries de rotation et de translation [13]. Il faudrait peut-être y ajouter au moins la symétrie d'échelle, mais on voit transparaître l'idée que la représentation picturale se construit à partir de motifs primordiaux peu nombreux. Non seulement ces motifs sont universels, mais leurs hautes symétries rappellent étrangement les structures émergentes de la phy-

38. ***Mandala typique du Tantrisme.*** *La haute symétrie de ces motifs, comme celle de l'art psychédélique ou des hallucinations médicamenteuses, a déjà inspiré l'idée que certains phénomènes physiques se retrouvent dans la perception visuelle. Il est en effet facile de créer ces mêmes symétries en excitant des modes propres sur des membranes de fluide [13].*

sique. On ne peut alors manquer de se poser les questions clefs: l'esprit comporterait-il des sous-systèmes non linéaires aussi simples que ceux connus en physique? Compterait-il sur eux pour lui fournir les matériaux de base à partir desquels il élabore des représentations mentales plus complexes? Celles-ci peuvent-elles être obtenues par les mêmes processus non linéaires? Seraient-elles de ce fait classifiables dans une structure en arbre, en accord inattendu avec la métaphore traditionnelle de l'arbre de la connaissance? Ce sont les questions auxquelles nous reviendrons quand nous discuterons de l'adaptation.

Le thème du double et la conscience de soi

Enfin, l'exemple le plus fascinant en psychologie en appelle encore à la symétrie miroir: le thème du double, de l'*alter ego* qui incarne la conscience de soi. Entre *ego* et *alter ego*, tout élément a son correspondant en bonne et due place; le manque et l'imprévisible sont bannis et avec eux la déception et le risque: la recherche de l'âme sœur est l'une des passions humaines les plus banales et les plus rarement satisfaites. Il n'y a guère que les vrais jumeaux qui arrivent à se considérer comme une image l'un de l'autre [15], et ils forment parfois une microsociété idéale au point qu'ils renoncent à se lier avec d'autres gens.

Habituellement, la connaissance de soi se substitue à la recherche du double. Elle est probablement la représentation mentale à laquelle l'homme consacre le plus de son temps de veille, et parfois son temps de rêve. Dans toutes les mystiques elle est donnée comme l'étape obligée sur la voie de la sagesse: seule la connaissance de soi apporte ce sentiment de plénitude sans lequel la vie paraît dénuée d'ordre et irrémédiablement hasardeuse. Mais une fois encore, c'est là un bénéfice secondaire qu'une minorité arrive à goûter; le bénéfice primaire que chacun peut apprécier, c'est l'émotion qui vient de l'ordre, en l'occurrence la volupté de se reconnaître fidèle à soi-même.

2.8 LA RELIGION ET LA SYMÉTRIE

La symétrie hante tous les arts depuis la plus haute antiquité, mais les arts religieux ont su en faire le moyen d'expression le plus impressionnant du pouvoir divin. Temples et mausolées sont effectivement construits sur les symétries les plus fortes, comme les symétries de translation que l'architecture islamique utilise souvent pour rendre la

sérénité (39), les symétries fractales de l'art gothique qui affirment l'élévation (40) ou encore les symétries de rotation qui entourent les lieux saints (41).

*39. **Salle des prières de la Mosquée de Cordoue,** Xe siècle. La sérénité qui habite cette salle vient d'abord de la symétrie de translation qui rythme l'espace loin de toute contingence. Elle vient aussi de cette surprenante réalisation de la dynamique quadratique: les épais pleins-cintres se calent sur des arcs outrepassés et se résolvent en minces colonnes, à l'image de la chute d'eau qui s'échancre en minces filets (57): la cascade de pierre descend sans lourdeur et abrite le pèlerin. Structure fractale vivante, la perspective déploie ses effets changeants et lui rappelle l'immensité de ces lieux sacrés.*

Le sacré et la symétrie miroir

Cependant, la symétrie qu'on retrouve fidèlement dans tous les monuments sacrés et dans toutes les civilisations, la plus simple et sans doute la plus contraignante, c'est encore la symétrie miroir (40, 42). Bien que délibérément voulue par les architectes, il faut une rare audace pour en montrer des images tant elle manifeste d'intransigeance. Le comble est atteint quand le monument se mire dans un plan d'eau (43), ce qui double la symétrie miroir et l'élève au rang de centre du monde: il faut s'être laissé fasciner par le Taj Mahall dans son écrin d'eau et de verdure, pur joyau des Indes suspendu dans le firmament (44).

40. ***Cathédrale de Reims:*** *La structure fractale ascendante affirme l'élévation. Cette structure est réalisée exactement sur les deux tours de la façade: sont superposés un grand portique, puis deux fenêtres, enfin quatre ogives avec des dimensions décroissantes à chaque étage.*

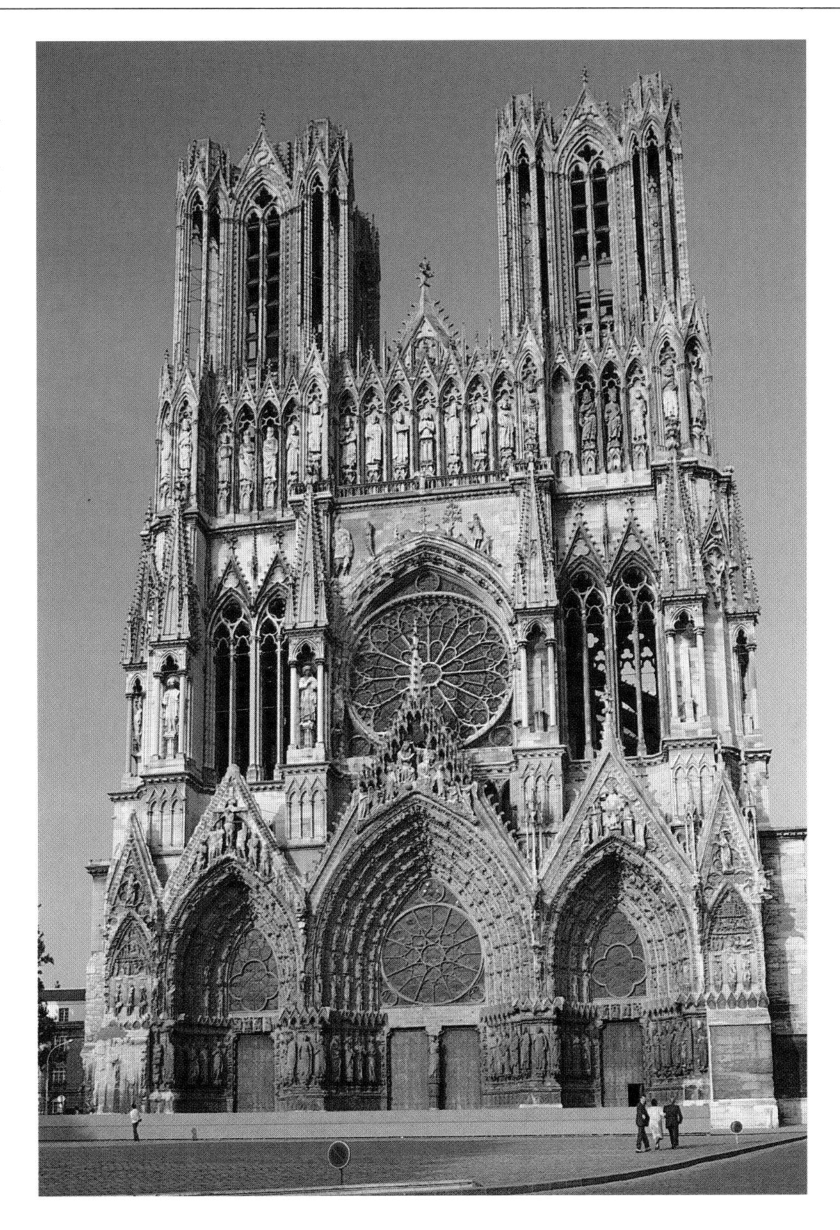

41. ***Intérieur de la coupole de la Cathédrale de Lausanne.*** *La symétrie de rotation, ici d'ordre 4, entoure les lieux sacrés.*

Ce genre de symétrie possède un pouvoir émotionnel unique qui mène droit à la sacralisation. Par exemple, elle institue un axe privilégié qui traverse le monument, et cet axe est régulièrement chargé de significations symboliques qui entrent dans l'accomplissement des rites [16]: il est lui-même déclaré objet sacré; son parcours est réservé aux initiés (45), tandis que le commun des mortels l'évitent d'instinct. Ainsi, les fidèles ne lèveront pas les yeux sur la «Voie Royale» qui suit l'axe de la cathédrale orthodoxe, et les touristes banaliseront la symétrie dans d'élégantes photographies de trois quarts. Enfin, la symétrie miroir semble être un monopole des édifices sacrés; les palais séculiers en sont dépourvus, si grandioses que le maître les ait voulus sans se réclamer d'un droit divin: le Palais des Doges de Venise est exemplaire à cet égard (33).

On retrouve donc dans l'art religieux les idées d'autosuffisance et de permanence que transporte la symétrie miroir: tout y est, rien ne

*42. **Pyramide du Soleil,** art Maya. Dans toutes les civilisations, les monuments sacrés sont signalés par la symétrie miroir.*

*43. **Mosquée du Shah, Ispahan,** XVIIe siècle. La façade est dimensionnée pour que, doublée de son reflet, elle prenne l'apparence d'une croix exactement proportionnée.*

44. ***Le Taj Mahall,*** *Agra, Inde, 1632. Avec son reflet immobile, le monument s'inscrit dans un carré sans haut ni bas: il réside en plein ciel, merveille du monde à jamais transfigurée dans l'apesanteur.*

44. ***Procession.*** *L'axe de symétrie est un objet sacré réservé à la cérémonie et sa représentation directe n'est pas opportune: même dans cette image pieuse, l'axe est seulement esquissé.*

manque, elle est immuable. Elle symbolisera donc naturellement la Divinité, et elle inspirera l'humilité face à ce qu'on ne saurait changer, voire le respect dû à ce qu'il serait *sacrilège* de changer.

L'objet symétrique est une représentation de l'esprit

Il faut donc admettre que la forte symétrie et le sacré sont étroitement liés dans l'esprit humain. Dans la perspective de ce livre, le lien est évident: puisque l'esprit créateur de symétrie est invisible, c'est sa création qui le représente le mieux, et les honneurs dus au créateur lui échoient naturellement. *Révéler et reconnaître le symétrique reviennent à révéler et reconnaître l'existence de l'esprit; construire le symétrique et le rendre sacré, c'est, au sens théâtral du terme, représenter l'esprit et le vénérer comme le bien le plus précieux.* La relation de l'esprit à la Divinité paraît ainsi du même ordre que la relation de l'*ego* à l'*alter ego:* deux symétries miroir constitutives de la conscience, sources toutes deux d'émotions indispensables à la vie quotidienne et, pour les privilégiés, sources du sentiment de plénitude et d'unité avec l'univers.

Il est vrai que ces symétries miroir sont imparfaites car les traits prêtés à l'*alter ego* ou à la Divinité relèvent de choix éclectiques qui varient avec la culture: ici entre en jeu la dynamique de construction des symétries, ce qui nous renvoie aux derniers chapitres de ce livre.

2.9 CONCLUSIONS

Le beau est ce qui se comprend

En attendant, l'idée s'impose avec force que la symétrie est la composante cruciale des formes qui ont le pouvoir de susciter l'émotion. La symétrie ajoute peu d'information, juste quelques nombres qui fixent les répétitions, mais on éprouve un effet esthétique: les formes sont trouvées belles, et même dignes de représenter la Divinité. *Le beau, c'est ce que l'on peut comprendre, dans le sens étymologique de «prendre ensemble»*: les relations mutuelles entre éléments sont en assez petit nombre pour être saisissables, elles illuminent l'esprit, et l'acte de reconnaître ces relations est la source du plaisir esthétique.

Le savoir est ce qui plaît

La symétrie sous-tend aussi le pouvoir de connaître: l'esprit peut identifier le tout grâce au réseau de relations en petit nombre qu'elle maintient entre les parties. Et plus ce réseau est serré, plus l'expérience cognitive s'accompagne d'émotion. *Le savoir est ce que l'on peut comprendre dans le sens habituel du terme, mais c'est aussi ce qui plaît.*

L'expérience esthétique et l'expérience cognitive sont donc du même ordre. On peut concevoir qu'en explorant les innombrables aspects que la symétrie peut prendre, l'art et la science déterminent en bonne part ce que sera la culture à une époque donnée. Il reste pourtant que l'esprit est toujours sensible aux fortes symétries qui font les grandes œuvres d'art et les grandes théories; il leur accorde en retour une signification religieuse car elles témoignent de son existence et de sa primauté sur les choses. Ainsi se présente l'étroite filiation qui va de l'ordre à l'émotion.

3 L'INSTABILITÉ ET L'ÉVOLUTION

La forme, c'est le bonheur de la matière
MAURICE DE GUÉRIN, Le cahier vert

3.1 INTRODUCTION

Les structures fractales de la physique peuvent paraître encore bien frustes et statiques quand on les compare aux ordres complexes qui évoluent constamment dans le monde biologique ou dans le monde mental. Mais elles ont une propriété cruciale qui leur réserve des destins aventureux et non écrits d'avance: cette propriété qui délie le futur de certaines contraintes du passé, c'est l'*instabilité.*

L'instabilité conditionne en effet le développement de la structure fractale, et le nid de fourmis en donne une illustration très simple: les fourmis exploratrices qui font progresser le nid se trouvent devant un choix à chaque bifurcation, et tant que les traces de phéromone sont encore peu marquées, elles tâtonnent, vont tantôt à droite tantôt à gauche. La branche en formation peut donc louvoyer quelque peu, mais, surtout, la moindre influence peut favoriser systématiquement l'un des côtés et la branche vire: la déviation est bientôt irréversible car la phéromone s'accumule et fixe définitivement le choix que l'influence a favorisé. Le développement de la structure est donc instable dans le sens que toute perturbation, même faible ou de courte durée, l'amène à s'écarter définitivement de son orientation momentanée.

Au niveau local, il y a lieu de considérer deux cas de perturbations, car elles annoncent des destins foncièrement différents. D'une part les perturbations peuvent être internes, ou endogènes, quand elles ne proviennent que des autres éléments du système; dans ce cas, la structure sera dite en *évolution libre.* D'autre part l'environnement peut exercer des perturbations externes indépendantes du système, et l'on parlera alors d'*évolution sous contrainte.*

3.2 L'ÉVOLUTION LIBRE DANS LE MONDE PHYSIQUE

L'ordre à longue portée

Pour ce qui est du nid de fourmis, les perturbations qui influencent la progression d'une branche particulière sont les effluves de phéromone parvenant des branches voisines. Les diverses branches ne sont donc pas indépendantes et leur progression est coordonnée: au lieu de se disperser dans l'anarchie (46), les branches restent rassemblées et elles avancent à vitesse égale. De la sorte, l'ordre à longue portée s'instaure et le nid garde un cap pratiquement constant. La physique abonde, comme on l'a vu, de systèmes qui croissent selon le même principe en propageant une structure locale fixe: le cristal, la décharge électrique, etc.

46. ***Croissance anarchique.*** *Construction à l'ordinateur. Les branches croissent comme dans l'illustration 24 mais aléatoirement et indépendamment les unes des autres.*

47. ***Panache de fumée de cigarette.*** *Ce système est en évolution libre et passe par une série de comportements qui mènent de l'ordre au chaos.*

Apparition de la diversité

Mais il est une autre circonstance où ces ordres à grande échelle varient dans le temps et deviennent étonnamment complexes: des motifs plus ou moins compliqués prennent naissance, puis ils peuvent se regrouper en arrangements d'une régularité totalement inattendue. Le prototype de ce comportement est familier: le panache de fumée de la cigarette (47). Il commence par un écoulement parfaitement ordonné, puis à la faveur du refroidissement graduel de la fumée, l'ordre strict évolue vers le chaos total mais, paradoxalement, en faisant le détour par la complexité et le qualitatif (48).

La dynamique quadratique

Pour surprenante que soit cette tendance spontanée à la complexité, on sait aujourd'hui qu'elle se rencontre très fréquemment en physique: elle est caractéristique des systèmes non linéaires où la dynamique est *quadratique* [17], comme en mécanique des fluides (49), en magnétisme, ou dans certains systèmes chimiques ou électriques. C'est une découverte récente que la simplicité des équations de la physique a longtemps masquée. Pourtant, déjà en 1964, le grand physicien Richard Feynman [18] s'était risqué à écrire à propos de la mécanique des fluides:

«La complexité des choses peut sortir d'équations très simples, mais l'homme qui ne l'a pas réalisé pense souvent qu'il faut y voir le doigt de Dieu. Le prochain réveil de l'intellect humain verra peut-être naître une méthode pour mettre à jour le contenu qualitatif des équations

(a)

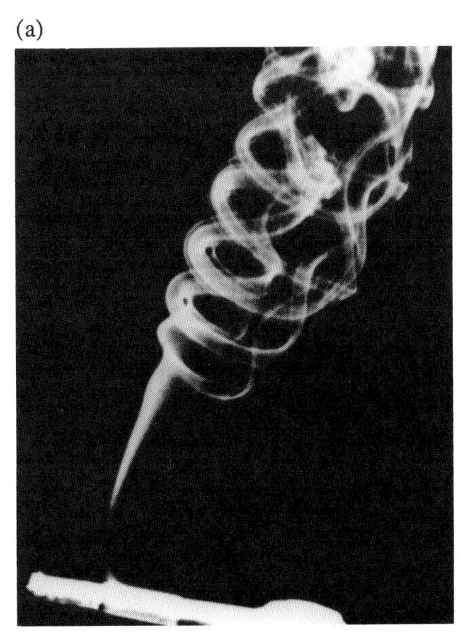

(b)

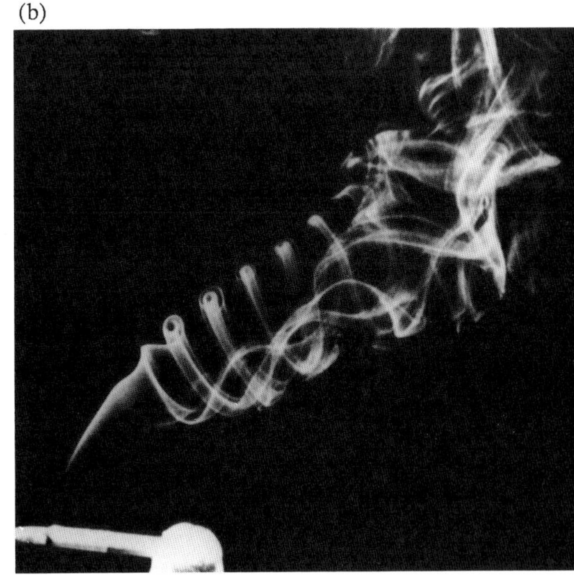

48. ***Volutes du panache de fumée.*** *En (a) l'écoulement initial est ordonné, mais il devient instable: il finit par s'enrouler en une volute torique qui s'éloigne pour faire place à une autre: si l'atmosphère est calme, six à sept volutes peuvent se succéder en ordre parfait comme on le voit en (b) où elles se sont séparées dans un léger courant d'air latéral. Ensuite, on les voit s'effilocher graduellement en élégantes arabesques qui ondulent d'abord lentement en changeant constamment de forme, puis des filaments plus nombreux se détachent et s'entremêlent de plus en plus vite; la turbulence se développe enfin jusqu'au chaos total: la fumée a alors diffusé dans l'air et diparaît de la vue.*

49. ***Sillage de von Karman.*** *Le fluide s'écoule de haut en bas et contourne un obstacle cylindrique. Les couches venues en contact avec le cylindre sont ralenties et le reste du fluide tend à les mettre en rotation sur elles-mêmes. Le phénomène est cependant hautement ordonné et donne naissance à ces tourbillons alternés qui s'engrènent régulièrement les uns sur les autres tout en grossissant. Cette photographie majestueuse a été obtenue par précipitation électrolytique, le cylindre servant d'électrode: seules les couches venues en contact direct avec lui portent le précipitat, et elles deviennent visibles dans un faisceau de lumière plat parallèle au plan de l'image.*

de la physique. Aujourd'hui on ne peut dire si elles contiennent les grenouilles, les compositeurs ou la morale: on ne peut dire si Dieu est indispensable, on peut seulement prendre parti pour ou contre.»

Le chaos déterministe

L'heure du réveil serait-elle arrivée? On a effectivement fait beaucoup de progrès pour dévoiler le qualitatif dans des relations mathématiques quantitatives. La complexité est ainsi bien apparue, sous forme de mouvements cohérents comme des rotations ou des spirales, et

50. ***Rameau de vigne sauvage.*** *Cette image gracieuse a la même symétrie que le sillage de Von Karman. Ce parallélisme illustre la démarche de la modélisation: la complexité du vivant se manifeste par une identité abstraite avec un phénomène physique simple; même si le mécanisme de détail n'est pas connu, la complexité devient accessible à l'esprit et l'impression de surnaturel fait place à la richesse de la connaissance. Le photographe note: «Presque tous les arrangements comprenant la répétition d'éléments semblables créent* ipso facto *un motif satisfaisant du point de vue esthétique.» Il confirme dans ses termes que la structure fractale a la propriété de susciter l'émotion.*

qu'on dénomme *attracteurs*. La complexité cependant ne vient pas seule: le comportement complexe peut s'avérer irréductiblement imprévisible à part qu'il doit revêtir certaines dispositions qualitatives. Tout se passe à la manière de la rivière contrainte de s'écouler près des points bas de la vallée, mais avec la liberté d'y creuser ses méandres au hasard. Ainsi, toute trajectoire est une *variante* parmi une infinité d'autres qui réalisent le même *thème* commun; à toute trajectoire succède une autre variante imprévisible du thème; avec le temps qui passe, *toutes* les variantes finissent par être empruntées, mais dans un ordre qui ne peut être écrit d'avance: il faut laisser l'expérience se dérouler pour le connaître.

C'est ainsi qu'on a découvert qu'un problème déterministe peut avoir une infinité de solutions chaotiques. Le paradoxe est condensé dans le nom de *chaos déterministe* donné à ce genre de comportement, et les dispositions qui en portent l'aspect qualitatif sont symptomatiquement appelées *attracteurs étranges*. Ce vocabulaire est très inhabituel en sciences, mais il montre l'énorme difficulté conceptuelle qu'ont dû vaincre des scientifiques accoutumés à l'exactitude des prévisions. Il reste même à établir rigoureusement le pont conduisant des équations de la physique à la théorie géométrique des structures fractales, mais les résultats expérimentaux sont si clairs qu'on peut être sûr que la démonstration viendra sans tarder [19].

Les frontières fractales

Les attracteurs étranges ont des formes elles-mêmes étranges et fascinantes. Par exemple, pour une variable régie par la dynamique quadratique, ils servent de frontières aux domaines où la variable reste

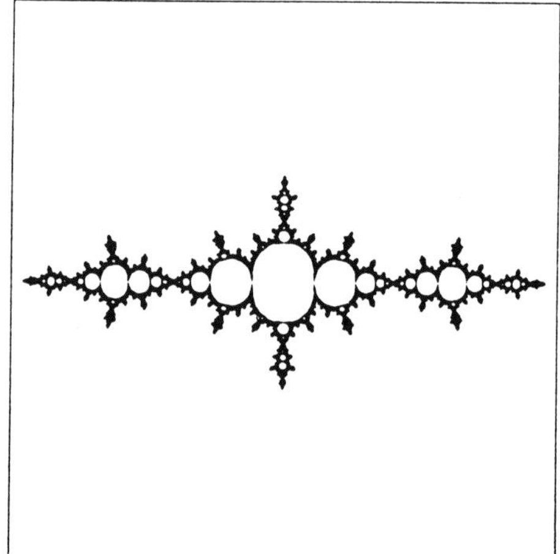
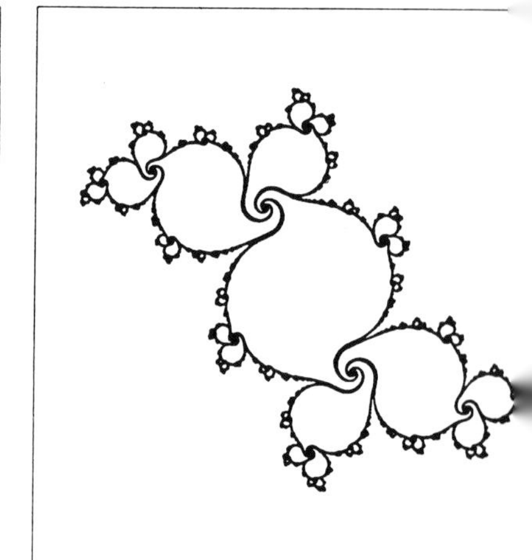
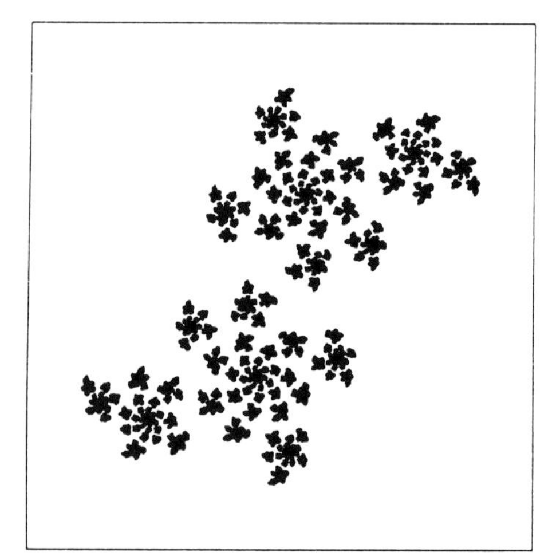
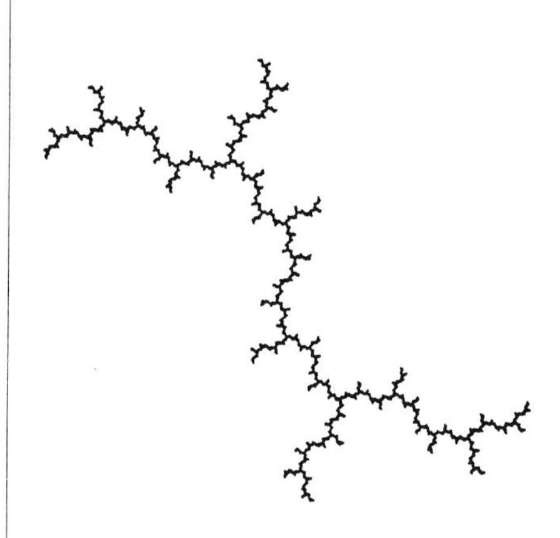

finie en tout temps, alors qu'elle diverge au-delà. Les mathématiciens avaient prédit que ces frontières étaient compliquées, mais il a fallu l'avènement des ordinateurs [20] pour qu'on réalise que leurs formes rappellent les ors les plus fantaisistes de l'art baroque (51). De plus, les attracteurs de la dynamique quadratique peuvent être classés dans un plan symbolique; si l'on colorie chaque point de ce plan selon la vitesse à laquelle la dynamique y diverge (52, 53), on voit se former des domaines extrêmement complexes et subtilement emmêlés. Avec des agrandissements successifs, on va de découvertes en découvertes: on commence par un motif initial aux formes fantastiquement organiques, le *bonhomme de Mandelbrot*, du nom du mathématicien qui a le premier décrit ces géométries; puis viennent toutes les volutes imaginables, mais exquisément arrangées en couronnes, en hippocampes, en décors excentriques où l'invention le dispute à la beauté. Toutes ces formes sont fractales, et la symétrie d'échelle reprend indéfiniment le même bonhomme, à chaque fois réduit mais auréolé de symétries de rotation dignes des plus précieuses étoffes du Cachemire! Le luxe de ces images ne dément pas Baudelaire, et leur splendeur est un hommage à l'intelligence collective qui les a mises au jour.

*51. **Attracteurs étranges:** ensembles de Julia de la dynamique quadratique. Construction à l'ordinateur. La dynamique est décrite dans le plan complexe d'une variable x par la formule quadratique:*

$$x_{n+1} = x_n^2 + c$$

c étant une constante et x_n étant la valeur de x obtenue après n itérations de la formule. On reconnaît une boucle fermée où la valeur de sortie est réutilisée comme valeur d'entrée. Les ensembles de Julia limitent le domaine des valeurs initiales où la variable reste finie au cours des itérations; partout ailleurs, elle s'accroît indéfiniment. Si la valeur initiale est prise à l'intérieur du domaine, les itérations conduisent à certains points privilégiés de ce domaine, appelés attracteurs fixes; si au contraire la valeur initiale est prise sur la frontière, les itérations produisent une suite chaotique et imprévisible de valeurs mais toujours sises sur cette même frontière: cette dernière est appelée attracteur étrange. Les diverses figures correspondent à diverses valeurs de la constante c.

Conclusions

L'évolution libre dément la vision mécaniste que l'on s'est fait de la physique depuis le siècle des lumières, et un langage anthropomorphique convient pour ce résumé: non seulement la physique peut construire d'elle-même des ordres parfaits de toutes sortes, mais elle peut donner naissance à des mouvements coordonnés aux allures majestueuses ou turbulentes. Par dessus tout, elle détient les moyens d'exprimer le qualitatif par le biais de l'invention continue de la variété; le seul prix à payer est l'incertitude: le futur est vraiment nouveau, il ne demande qu'à être vécu.

3.3 L'ÉVOLUTION LIBRE DANS LE MONDE VIVANT

Si l'on passe au monde vivant, l'analogie avec la dynamique quadratique devient extrêmement suggestive: certaines structures maîtresses semblent s'être imposées à la matière vivante et elles se montrent capables de se diversifier en d'innombrables variantes. Ainsi se trouve largement compensé l'appauvrissement infligé par la sélection naturelle.

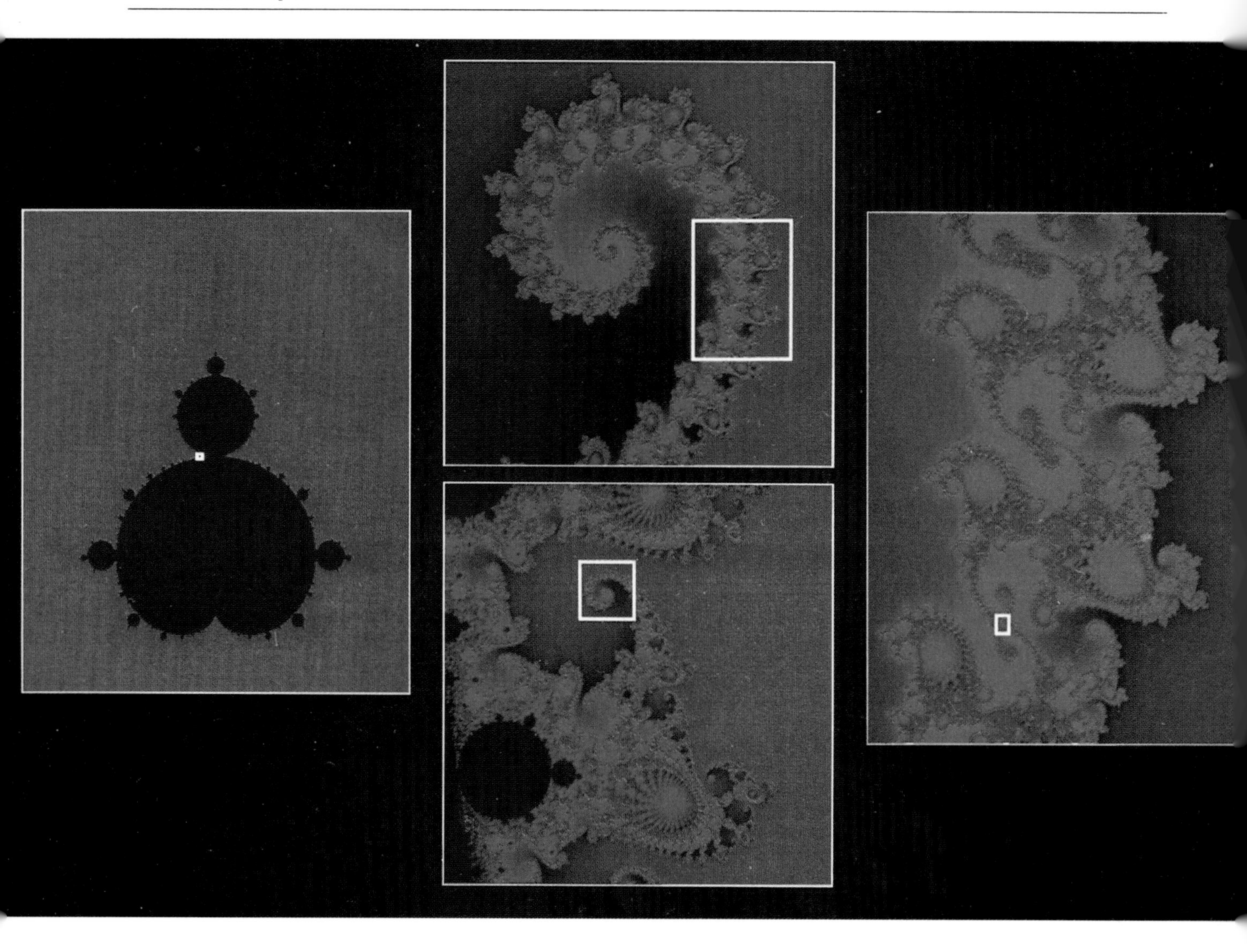

La variété par le chaos

52 et 53. ***Coloriages du plan complexe de c.*** *Construction à l'ordinateur. Les coloris sont choisis selon la vitesse de divergence, c'est-à-dire d'après le nombre n d'itérations nécessaires pour que, en partant de 0, x_n franchisse un cercle de très grand rayon. Les portions noires constituent l'ensemble de Mandelbrot où x_n reste fini pour tout n: elles comprennent le bonhomme avec ses bourgeons et ses antennes, ainsi qu'une infinité de répliques de dimensions réduites par similitude; les répliques sont toutes interconnectées par de fins filaments noirs.*

Par exemple, les plantes ne poussent pas n'importe comment; le thème principal est sûrement la cascade de bifurcations qui assure la colonisation économique de l'espace, mais les variations selon les espèces en représentent des avatars chaotiques. Il peut être difficile de reconnaître le thème sous des aspects aussi différents que la branche de sapin, la rose ou l'ananas, mais la science de ces structures, appelée phyllotaxie, est une science en plein développement qui réserve de belles surprises à notre imagination (§ 3.4).

Une autre variation sur le même thème fondamental est la structure en épi qui traverse le règne animal du ver de terre au vertébré supérieur, en passant par l'insecte, le poisson, le reptile et l'oiseau: la structure projette des anneaux superposés le long d'un axe polarisé, certains an-

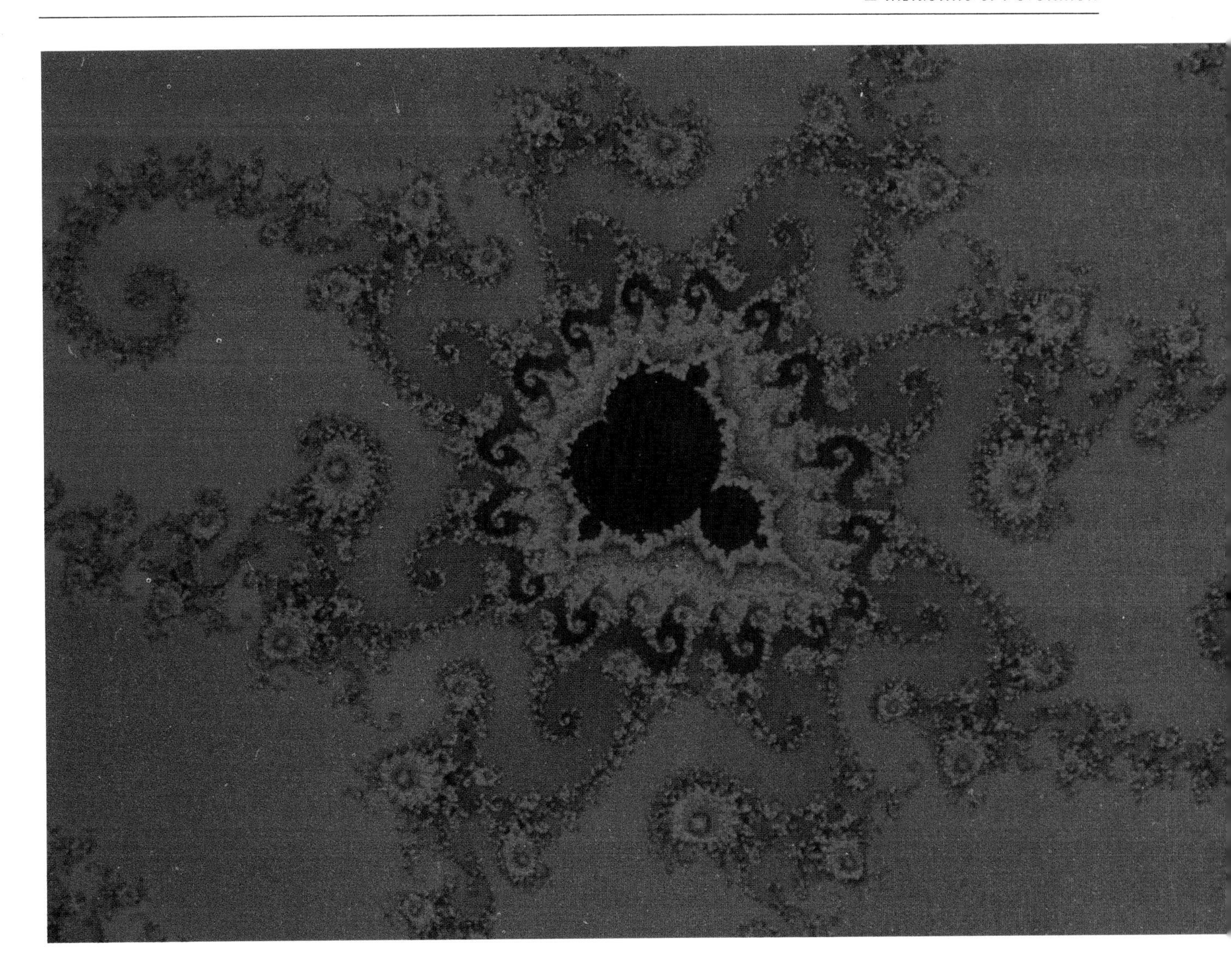

neaux connaissant des spécialisations fonctionnelles telles que tête et membres. Cette similitude, qui passe pour la grande preuve de la théorie de l'évolution, est rejouée à chaque embryogénèse, embrassant chez les vertébrés à la fois le squelette avec ses membres toujours pentadactyles, le cerveau, les organes sensoriels et la musculature.

L'immunité par le chaos

De même, l'immunité contre les virus encore inconnus repose sur des processus de différenciation chaotiques: dans certaines cellules spécialisées, les gènes se trouvent remaniés au hasard et par portions entières; ces variations ne sont pas quelconques, mais elles produisent des combinaisons originales jusqu'à ce que l'une d'entre elles s'ajuste au corps étranger: dans ce cas, l'anticorps ainsi «inventé» est rapidement reproduit et confère l'immunité. Ce mécanisme est extrêmement efficace, mais visiblement la réussite repose sur le caractère *réellement chaotique* des combinaisons inventées; l'efficacité n'est d'ailleurs égalée que par la capacité des virus à changer leur apparence pour mieux tromper la surveillance, capacité qui repose aussi sur les remaniements chaotiques: c'est un jeu de gendarmes et de voleurs!

Conclusions

Le petit nombre des thèmes fondamentaux de la biologie et les variantes nombreuses dans lesquelles ils se différencient font immédiatement penser aux attracteurs étranges de la physique: eux aussi, ils sont porteurs de thèmes s'exprimant par de nombreuses variantes. Cependant, en physique, la stabilité des thèmes peut être comprise à partir d'interactions simples et familières et l'interprétation est sûre. En biologie, les connaissances ne sont pas encore à ce stade et il faut s'attendre à ce que les interactions soient plus compliquées qu'en physique, encore que les idées commencent à poindre: par exemple, il semble que les tissus conjonctifs liant les organes du corps entre eux soient en même temps porteurs d'interaction à longue portée entre ces organes; les boucles fermées qui en résultent contrôleraient la différenciation des cellules et la forme des organes [21]. Plus haut dans la hiérarchie du vivant, on sait que les espèces ont parfois des interactions intenses entre elles, même si elles n'appartiennent pas au même règne: l'exemple le plus étrange est le «mariage» de la guêpe et de l'orchidée; l'hypothèse est désormais posée que des *interhormones* lient les êtres vivants en un gigantesque organisme [14] et le rendent capable de progresser sur le chemin de la complexité, voire de la conscience. L'interprétation par le chaos déterministe et les attracteurs étranges devient alors très plausible. Il se peut donc qu'un jour elle explique à la fois la rareté des thèmes et le foisonnement des variantes à la manière dont on peut déjà parler de la phyllotaxie (§ 3.4).

3.4 LA PHYLLOTAXIE

La phyllotaxie est la science des structures produites par la croissance des végétaux. Les plus énigmatiques sont les structures en spirales imbriquées que l'on trouve sur les pommes de pin (17), sur les ananas et dans le cœur des fleurs de tournesol; mais il y a aussi les structures radiales des fleurs à pétales ou l'arrangement des souches de feuilles sur une tige. On sait depuis longtemps que certains nombres jouent un rôle essentiel dans ces structures: ils constituent les *séries de Fibonacci* où chacun représente la somme des deux qui le précèdent, par exemple 0, 1, 1, 2, 3, 5, 8, 13, 21, etc. Selon la théorie des nombres, cette série est associée au nombre unique appelé *section d'or* et valant 1,618... Comment cet objet apparemment purement mental peut-il bien intervenir dans la croissance végétale? C'est un mystère sur lequel les idées commencent à se préciser: les structures basées sur ce nombre possèdent une symétrie d'échelle comme le nid de fourmis et comme les frontières fractales où ce nombre joue aussi un rôle fondamental [19]. Il se trouve que cette symétrie confère aux végétaux un pouvoir crucial du point de vue de la sélection naturelle.

En effet, leur mode de croissance consiste à agrandir des organes, par exemple les écailles de l'ananas, dont les relations de voisinage sont fixées dès leur naissance. On peut montrer qu'il se pose un problème de topologie majeur si les surfaces sur lesquelles ces organes sont arrangés viennent à changer de courbure, que ce soit par croissance naturelle ou par accident. Or, la symétrie d'échelle résout seule ce problème car elle a la propriété de sauvegarder les relations de voisinage et elle prévient ainsi des ruptures létales entre organes primitivement contigus [22]. En conséquence, quence, les structures associées à la section d'or ont plus de résilience que toutes les autres: elles se comportent comme un attracteur étrange vers lequel doit converger toute tentative de croissance dissidente, sinon la sélection naturelle l'élimine.

L'hypothèse que la croissance végétale est souvent régie par un attracteur étrange est donc très plausible. Il n'y a même pas lieu de supposer que la section d'or est codée génétiquement, ce qui est en principe impossible puisque ce nombre est irrationnel; il suffirait que la sélection ait abouti à la chimie adéquate, c'est-à-dire que le bon jeu d'hormones prenne dans la croissance de la plante le même rôle que la phéromone dans la construction du nid. Ce jeu est assurément compliqué et malheureusement encore inconnu. En attendant sa découverte qui finalement prouvera l'existence de l'attracteur, on voit que l'argumentation topologique prête un crédit déjà considérable à l'hypothèse.

3.5. L'ÉVOLUTION LIBRE DANS LE MONDE MENTAL

Faut-il aussi voir dans la dynamique quadratique l'équivalent de l'invention qui se manifeste dans le monde mental où, de nouveau, les thèmes sont comptés mais les expressions fourmillent à l'infini? En tout cas, ce monde est peuplé de structures fractales, on l'a vu; une condition nécessaire serait donc réalisée, mais on manque encore de recul pour conclure. Il y a tout de même nombre d'indices qui valent la peine d'être cités.

La section d'or en architecture

Rappelons d'abord que la section d'or et les séries de Fibonacci sont souvent invoquées en matière d'esthétique: on l'a vu à propos de la phyllotaxie (§ 3.4), ces nombres sont intimement liés à l'un des attracteurs étranges de la dynamique quadratique. Par exemple, la section d'or est réputée avoir présidé à la construction de plusieurs monuments qui ont marqué l'architecture: le Parthénon, la Cathédrale de Chartres, la Mosquée des Omeyyades de Damas [10]. Le Corbusier s'est inspiré de deux séries de Fibonacci pour établir son «Modulor», système de 12 proportions qui se rapprochent de celles du corps humain (54); ce système fut appliqué lors de la construction de l'Unité d'habitation de Marseille, dont les proportions sont connues pour être agréables tant pour l'œil que pour le corps [16].

54. *Le Corbusier,* ***Le Modulor****.*

La dynamique quadratique dans l'art

Beaucoup d'artistes ont été sensibles à la majesté des structures de la dynamique quadratique. Léonard de Vinci fit les premières observations expérimentales des écoulements d'eau, dans l'optique utilitaire de construire des systèmes d'irrigation fiables; en les parsemant de petits flotteurs, il découvrit les tourbillons qui se forment sous les chutes des déversoirs (55); il vit ainsi qu'ils s'engrènent en dimensions décroissantes selon la *cascade sous-harmonique,* autre attracteur de la dynamique quadratique qui passe de l'ordre au chaos (56). Le grand peintre japonais Hokusaï était fasciné par les mouvements d'eau: ses chutes romantiques (57) nous renvoient poétiquement aux sérieux diagrammes de cette cascade; il eut aussi la fortune d'observer les lames

55. Leonardo da Vinci: ***Le Déversoir.*** *Les mouvements d'eau sous la chute sont observés à l'aide de petits flotteurs dispersés à la surface: ils consistent en tourbillons engrenés semblables mais de dimensions régulièrement décroissantes.*

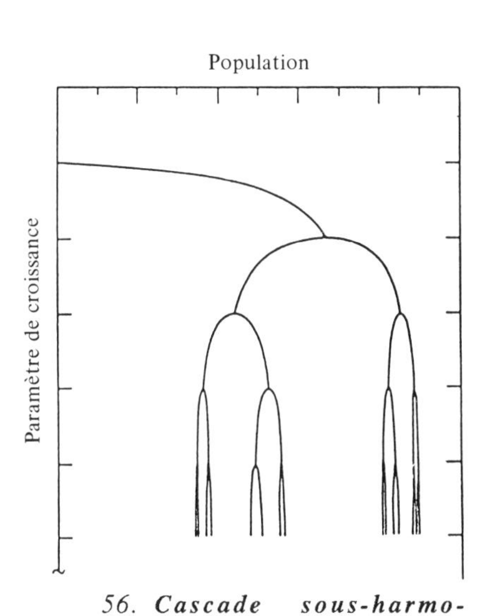

56. ***Cascade sous-harmonique.***

57. Hokusaï, ***La cascade d'Amiga****, estampe. La chute commence par une lame d'eau plane qui déborde sur le vide. La tension superficielle de l'eau rend cette lame instable et elle s'échancre en lames de largeur décroissante qui se réduisent peu à peu en filaments. Cette réduction a trouvé une réalisation architecturale dans la salle des prières de la Mosquée de Cordoue (39).*

régulièrement échancrées que le vent détache de la crête des vagues (58), autre manifestation de la cascade sous-harmonique qui aboutit au chaos.

La prépondérance des cercles et spirales parmi les constantes hallucinatoires est un autre indice de la pertinence de la dynamique quadratique en art. En effet, les spirales se trouvent toujours signifier des idées de transformations et de flux: elles sont tourbillons plutôt que motifs statiques. Par exemple, selon R. Garaudy [10], «l'arabesque de l'islam n'est pas une stylisation, mais le sillage d'un mouvement: le

rythme cosmique de l'expansion et de la contraction; elle exprime une conception du monde» (59). De même, la spirale est devenue le fruit de l'arbre de vie chez Klimt (60), et Hundertwasser [23] la considère comme «le symbole de la création qui nous fait homme» (61). La spirale peut enfin exprimer le vertige et l'anéantissement comme dans les visions mythiques de William Blake.

58. Hokusaï, ***L'arc de la vague à Kanagawa****, estampe. Les lames détachées à la crête des vagues par le vent se réduisent aussi à des filaments par échancrures multiples. Cette phase de réduction est très brève, et il fallut un talent exceptionnel pour l'observer à l'œil nu.*

Van Gogh et la turbulence

Mais peut-être que l'idée de turbulence ne s'est jamais exprimée de façon plus poignante que dans les toiles que Van Gogh a peintes pendant les phases aiguës de sa maladie: il vaut la peine de se familiariser quelques instants avec les manifestations de la turbulence dans les fluides (62, 63) pour apprécier l'incroyable ressemblance avec la vision du peintre: elle est marquée par le feu, comme s'il voyait la nature entière au travers du rideau de chaleur s'élevant au-dessus d'un brasier (64, 65), et son coup de pinceau si personnel rend puissamment cette impression d'atmosphère frémissante de turbulences.

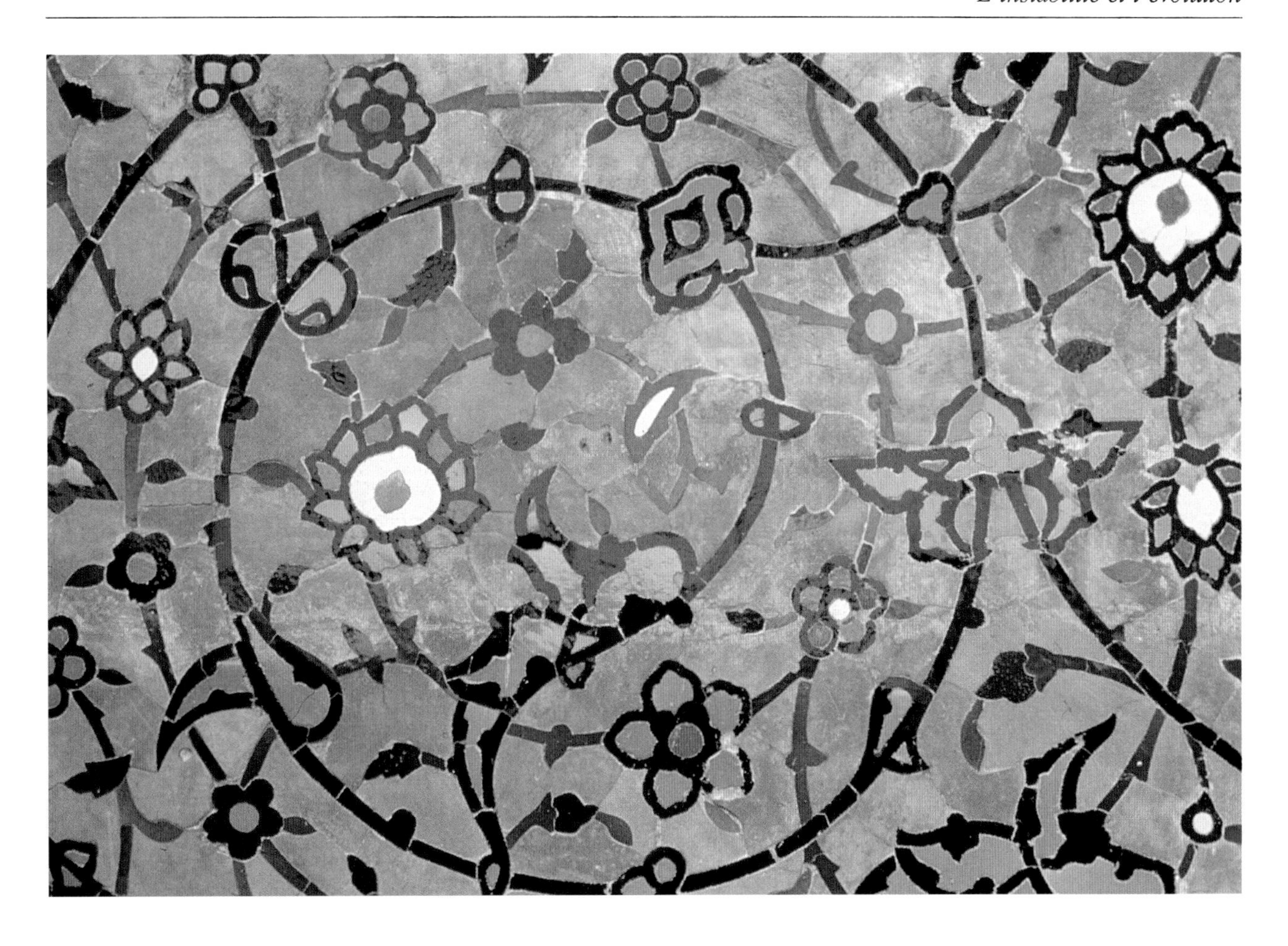

59. ***Arabesque de l'Islam.***

Avec la toile intitulée «La nuit étoilée» (68), l'étonnement atteint son comble: on y voit projetée sur le ciel nocturne une dynamique véhémente faite de tourbillons lumineux et de spirales engrenées. Or, le ciel étoilé symbolise normalement la sérénité sans mélange, et Van Gogh l'avait déjà peint avec lyrisme sur une toile antérieure portant le même titre (69).

Van Gogh a composé cette seconde *Nuit étoilée* aux pires moments de crise, enfermé volontaire à l'asile de Saint-Rémy-de-Provence et souvent privé de ses tubes de couleurs de peur qu'il ne les avale. Contrairement à son habitude, il n'en a jamais dévoilé le sens profond qui est resté incompris de ses amis. Mais les exégètes n'ont pas manqué, la qualifiant de «seule toile vraiment visionnaire de son œuvre». L'un suggère «la femme en travail d'accouchement de l'Apocalypse vêtue de soleil, la lune sous ses pieds, une couronne de douze étoiles sur sa tête, dont l'enfant est menacé par le Dragon couleur de feu»; l'autre cite le songe de Joseph dans la Genèse où il voit «le soleil, la lune et onze étoiles se prosterner devant lui». Ces interprétations sont probablement plus délirantes que l'œuvre, mais elles s'inspirent de tout

60. Gustave Klimt, ***L'arbre de vie****. Rapportée de sa visite des églises de Ravenne, Klimt a fait de la volute byzantine le fruit de l'Arbre de Vie qui enveloppe dans ses branches les symboles de la sensualité: l'Attente et l'Accomplissement.*

61. Hundertwasser, ***La fenêtre dans l'étang****, 1978. La spirale est le symbole essentiel de la vie et de la mort: le peintre connaissait toutes ses manifestations, naturelles ou créées par la main humaine, et il considérait celles qu'il peignait comme intermédiaires. Cette œuvre est un manifeste contre l'architecture aux lignes droites; la spirale y représente l'évasion spontanée de l'esprit au travers des ouvertures de liberté que symbolisent les fenêtres.*

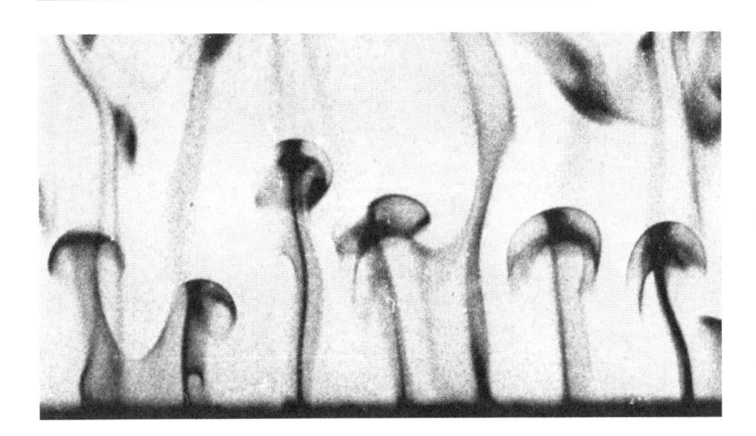

62. ***Turbulences au-dessus d'une plaque chauffée.*** *L'air échauffé étant plus léger, il s'élève en petits panaches ondoyants et terminés en champignons. A leur propos, le professeur Sparrow m'écrit: «Je vois dans cette photographie plus d'art que de science, les formes qui y apparaissent me rappellent celles de gracieux danseurs.» A droite, l'échauffement est plus fort; au-dessus d'un feu, ces courants thermiques deviennent violents et font effectivement vibrer le paysage de l'arrière-fond.*

ce que Van Gogh voulut en dire: il la composa pour satisfaire son *terrible besoin de religion* [24].

A mon avis, ce que cette toile représente, c'est la *vision de la turbulence* qui s'empare de son âme pendant les périodes de crise. La comparaison avec les courants et les tourbillons de la mécanique des fluides (66, 67) est à proprement parler stupéfiante: rotations et volutes s'entremêlent exactement comme la mécanique des fluides l'a révélé. Van Gogh n'avait sûrement pas ces connaissances de physique. Il faut donc présumer qu'il a *vu* son image du ciel ainsi brassée par des courants contraires: apparemment, les représentations mentales se comportent comme les fluides et, à l'occasion, manifestent la même turbulence! En tout état de cause, son génie de peintre a su reproduire l'événement dans toute sa vertigineuse violence. Il semble en effet que son affection, une forme rare d'épilepsie, laissait intacte ses facultés d'expression. Son silence inhabituel et la référence au besoin de religion n'en sont que plus éloquents: on ne peut que constater encore une fois cette servitude de l'âme humaine de se projeter sur l'univers, pour le ressentir ensuite comme acte de religion (§ 2.8).

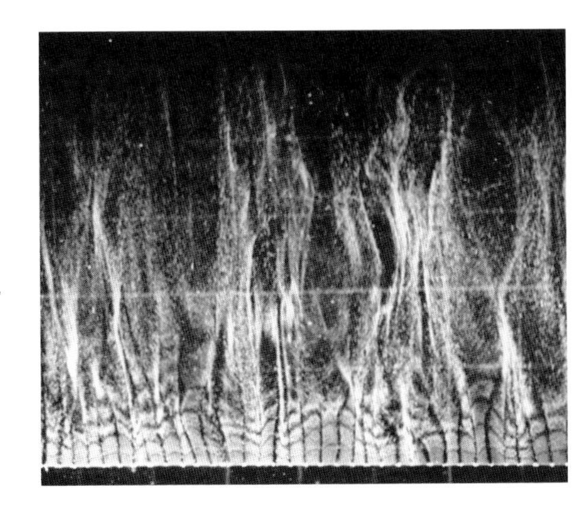
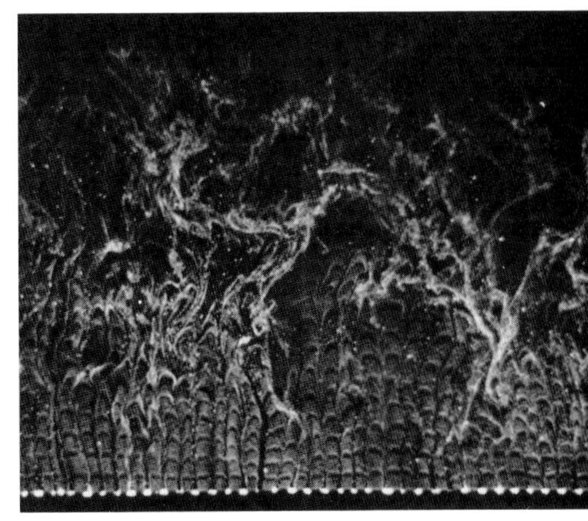

63. ***Turbulences dans une couche limite.*** *Dans la couche de fluide qui est en contact avec une paroi fixe, les vitesses changent rapidement d'un point à l'autre; la turbulence se développe alors jusqu'au chaos en donnant lieu à ces traces frémissantes, particulièrement tourmentées dans la photographie de droite où l'écoulement est plus rapide.*

64. Vincent Van Gogh, **Le parc de l'hôpital à Saint-Rémy,** octobre 1889, huile sur toile. Le coup de pinceau ondule à longs traits et semble suivre le louvoiement des courants thermiques qui s'élèvent sous l'effet de la chaleur. Le peintre explique que «le tronc frappé par la foudre, comme un orgueilleux défait, le vert sabré sur tout le ciel qui attendrit les tons, évoquent la sensation d'angoisse dont souffrent souvent certains de mes compagnons d'infortune»: association de la souffrance mentale et de la chaleur.

Des attracteurs étranges dans l'activité mentale?

L'analogie directe entre esprit et fluides est probablement simpliste et il serait plus raisonnable d'envisager que leur dynamique est semblable. Par exemple, les processus mentaux qui se déroulent en permanence dans notre tête pourraient être considérés comme une croissance gouvernée par un ou plusieurs attracteurs étranges. Le lecteur comprendra qu'il est difficile d'apporter une preuve, mais peut-être conviendra-t-il que l'expérience journalière est à tout le moins évocatrice: la rêverie ne consiste-t-elle pas à laisser se poursuivre un *flot* spontané d'idées qui se réarrangent dans tous les sens comme les particules de fluide qui se réarrangent dans un écoulement instable? Le rêve est aussi fait de représentations réarrangées selon une combinatoire décrite comme quasi physique: dans les conceptions freudiennes, on parle de «déplacements», de «condensations» ou, comble d'humour, de «sublimations», terme qui, en physique, désigne les transformations directes entre gaz et solide. L'extravagance de la plupart des rêves marque bien le caractère *chaotique* des réarrangements, mais l'analyse prolongée parvient à recenser des ensembles de représentations malgré qu'elles soient liées au défi de toute logique. Lorsqu'il s'agit de thèmes problématiques, on sait que ces *complexes* d'associations engendrent des comportements malencontreux qui affectent toutes les facettes de l'existence. Peut-être que si l'on voyait ces complexes comme des attracteurs étranges, on comprendrait mieux leur caractère à la fois autonome, compulsif et multiforme: le thème est bien toujours le même, mais les manifestations sont toujours inattendues.

La créativité par le chaos

Beaucoup de scientifiques affirment travailler leurs problèmes préoccupants grâce au «générateur de bruit» qu'ils perçoivent dans leur conscience: les données du problème semblent se réarranger constamment en suites imprévues. Il ne s'agit pourtant pas d'un bruit purement aléatoire, mais plutôt de réarrangements où l'ordre se soustrait aux contraintes de la stricte logique ou des idées préconçues; le processus permet d'explorer l'une après l'autre des combinaisons originales des données, et souvent l'une d'elles se montre comme une solution acceptable du problème.

Pour que cette technique d'invention réussisse, il faut visiblement que des combinaisons variées et nombreuses soient passées en revue, ce qui ne peut être garanti que par un comportement *réellement chaotique* et poursuivi assez longtemps: la plupart des combinaisons apparaîtront immédiatement inadéquates, mais il en restera quelques-unes dont la pertinence peut être évaluée posément. Le *brainstorming* repose sur la même technique, aujourd'hui dite de créativité: laisser jaillir les idées d'elles-mêmes en renonçant à la censure et évaluer leur utilité ensuite. De même pour l'humour et l'invention, tout l'art est de saisir au vol les associations qui se suivent sans trêve dans l'esprit – et que curieusement certaines écoles de méditation cherchent à réprimer, avec peu de succès il est vrai. Comme pour l'immunité (§ 3.3), on voit l'efficacité reposer sur le caractère réellement chaotique du mécanisme d'invention et, à nouveau, le chaos est exploité pour défier la sélection naturelle: le règne vivant entier semble s'être servi de la même technique.

*65. Vincent Van Gogh, **Les cyprès, Saint-Rémy**, juin 1889, huile sur toile. Le peintre fut longuement préoccupé par les cyprès: «ils sont la tache noire dans un paysage ensoleillé, une des notes noires les plus intéressantes». Il parle surtout couleurs mais les formes sont possédées d'une étrange agitation: la nature entière semble se consumer dans les trépidations de l'air surchauffé et les cyprès flamboient comme des torches funéraires.*

Conclusions

Il semble donc plausible qu'une part au moins de l'activité spontanée de l'esprit soit régie par des attracteurs étranges. Mais les structures ainsi produites sont instables tandis que les représentations mémorisables doivent être structurellement stables. A ce point se pose donc la question: qu'est-ce qui distingue l'association intéressante, pertinente ou drôle et comment est-elle retenue? C'est l'objet du paragraphe suivant.

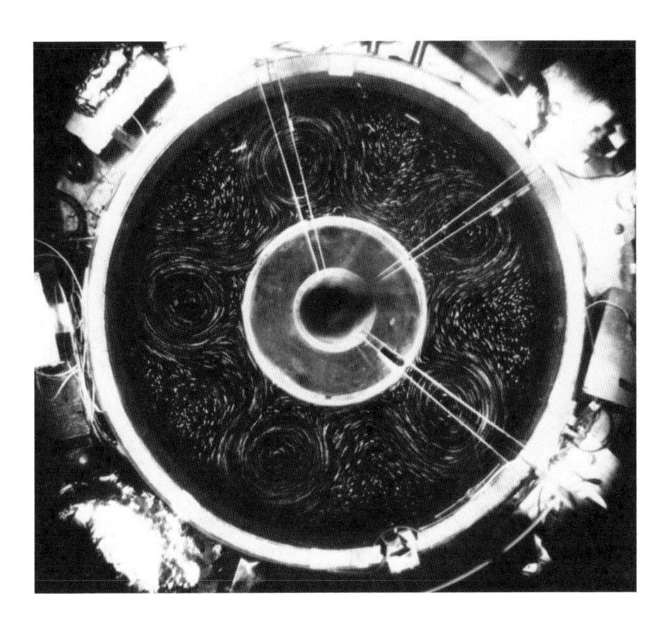

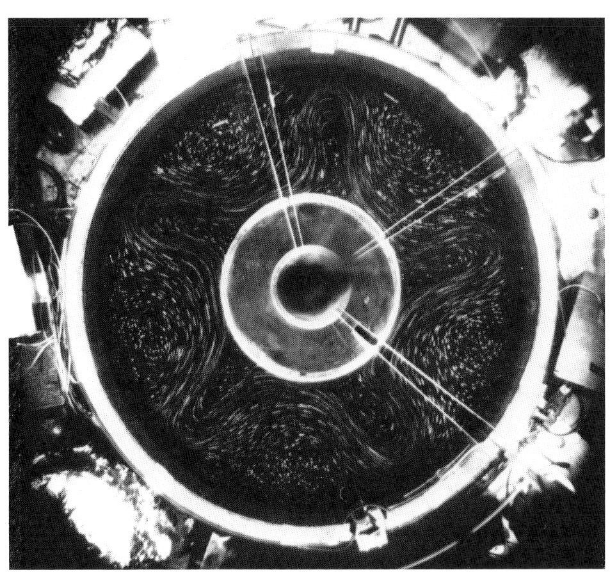

*66. **Turbulences dans un fluide entre anneaux tournants.** Des particules d'aluminium sont suspendues dans l'eau et sont photographiées par exposition prolongée; elles produisent les stries concentriques ou ondulantes qui révèlent les mouvements de l'eau. Splendides et très rares, ces symétries d'ordre 5 sont obtenues par superposition de deux influences externes: le cylindre extérieur est en même temps chauffé et mis en rotation. L'effet est saisissant: les courants se divisent en tourbillons et en méandres qui s'engrènent sur eux. Les deux images montrent des phases successives de cette complexe organisation. On la retrouve sous forme de cyclones et de jets dans les circulations atmosphériques, elles aussi entraînées par échauffements superposés aux effets de la rotation terrestre.*

Pour conclure, il faut considérer comme acquis que les structures émergentes qui se développent librement peuvent se complexifier spontanément, et se complexifier bien au-delà de ce qu'on a coutume d'attendre de systèmes physiques réputés passifs. De plus, la part imprévisible de leur dynamique se présente à nos yeux comme si elle était douée de la capacité d'inventer des variantes en nombre indéfini. Des structures de ce genre peuvent donc être sérieusement envisagées à titre de modèles dans la matière vivante et dans l'activité mentale; même si l'invention ainsi expliquée se limite aux variations sur des thèmes connus, elle restera la révélation la plus originale que l'avènement des ordinateurs aura apportée à la théorie de l'évolution et à l'épistémologie.

3.6 L'ÉVOLUTION SOUS CONTRAINTE

L'évolution sous contrainte est le pendant de l'évolution libre: au lieu d'être tranchés par des facteurs endogènes, les choix ouverts par

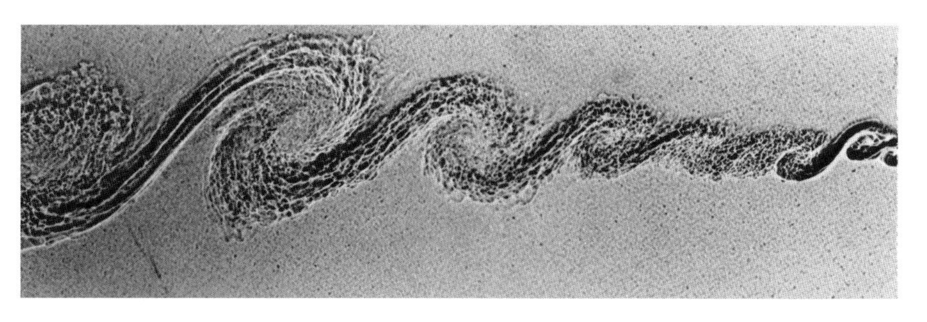

67. ***Turbulences dans une couche mélangeuse*** *entre deux fluides glissant l'un sur l'autre. Au-dessus de la couche, de l'azote s'écoule à 10 m/sec de droite à gauche; au dessous, un mélange d'hélium et d'argon progresse à 3,8 m/sec. Le frottement prélève des couches de chaque fluide qui s'enroulent les unes sur les autres en tourbillons successifs; comme ils tournent tous dans le même sens, les tourbillons s'étirent tout en grossissant, donnant lieu à ces S engrenés caractéristiques.*

l'instabilité sont tranchés par des influences externes. Il devient ainsi concevable de sélectionner de l'extérieur la variante désirée parmi les comportements spontanés d'un système, voire d'instaurer des combinaisons exceptionnelles qui n'auraient aucune chance de se manifester dans le système isolé.

Le contrôle des turbulences

Par exemple, un obstacle qui dévie l'écoulement rapide d'un fluide y engendre une turbulence faite principalement de tourbillons alternés (49). En raison du caractère chaotique du mouvement, toute une plage de fréquences est présente et il est facile de sélectionner de l'extérieur une fréquence particulière: en approchant une colonne de fluide qui peut vibrer à la fréquence propre fixée par sa longueur, on commande le rythme auquel les tourbillons alternent. La succession réglée des tourbillons est perçue comme un son, et ces mêmes tourbillons entretiennent la vibration de la colonne. De nombreux instruments de musique fonctionnent par ce procédé, par exemple les flûtes: l'obstacle est le couteau visible en aval de l'embouchure (69), et la colonne vibrante est plus ou moins longue selon les trous bouchés sur le corps de l'instrument: la hauteur du son est ainsi ajustée au gré du musicien. Visiblement le procédé revient à stabiliser un des comportements instables du fluide par le moyen d'une interaction sélective avec l'extérieur; la sélection s'étend d'ailleurs à toutes les harmoniques de la note jouée, et leurs proportions varient suivant le timbre que le musicien veut tirer de son instrument.

68. Vincent Van Gogh, ***La nuit étoilée – Saint-Rémy****, juin 1889, huile sur toile. Contrairement à la perception spontanée (70), Van Gogh représente les astres non comme des centres d'où la lumière rayonne, mais comme des centres en rotation où les traits de lumière sont tangents au mouvement. De plus, il a l'intuition de ces structures en S engrenés qui mélangent les fluides en mouvement relatif: intuition visionnaire car il est bien improbable que Van Gogh ait eu connaissance de l'existence de ces structures en physique. Faut-il y voir la prémonition d'un cataclysme cosmique où l'ordre céleste court au chaos, ou du cataclysme où son esprit chancelle sous le coup de la crise? Seul commentaire connu du peintre: il a composé cette toile pressé par son «terrible besoin de religion».*

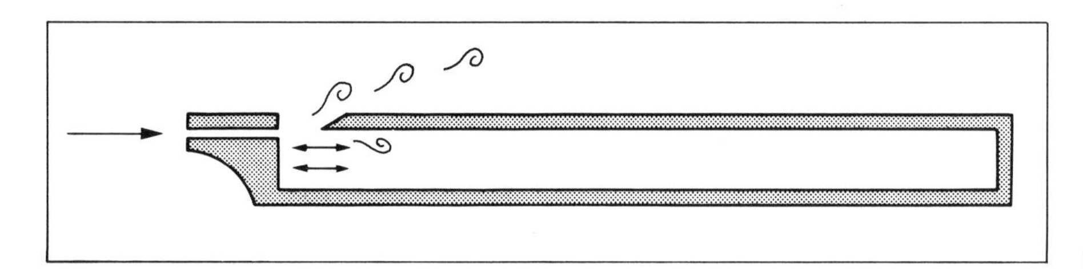

69. ***Bec de flûte.***

Les structures sont malléables

Les structures fractales sont également sensibles aux influences externes qui s'exercent pendant qu'elles se développent. A nouveau, le nid de fourmis montre clairement le mécanisme d'interaction: à chaque bifurcation s'ouvre l'alternative gauche ou droite mais, par le biais de l'instabilité, la plus faible influence externe est à même de rendre l'un des côtés plus accessible que l'autre. La progression de la structure devient alors localement obligée. Répétée *un grand nombre de fois*, cette sélection par l'extérieur oriente le développement de façon systématique et toute la structure se déforme: du fait de l'instabilité, la structure est en réalité *malléable* et elle peut ainsi se mouler au contexte. Du point de vue

physique, la déformation abaisse l'énergie potentielle dans les influences externes; elle a donc pour effet d'apporter une stabilité définitive qui fait défaut à la structure émergente, mais au prix de la dévier de la forme idéale qu'elle prend quand elle est isolée.

70. Vincent Van Gogh, ***La nuit étoilée – Arles****, septembre 1888, huile sur toile. Cette toile d'un lyrisme naïf précède d'un an la* Nuit étoilée *de Saint-Rémy. Van Gogh se conforme à la perception spontanée qui voit les astres comme des centres d'où la lumière rayonne.*

On peut en conclusion voir l'instabilité comme le mécanisme originel par lequel un système réoriente son développement en réponse aux contraintes extérieures; par là-même, il est en mesure de modifier le comportement global suivant le contexte: dans un langage imagé à la manière de Darwin, on peut dire que tout en retenant les règles habituelles de progression, le système *s'adapte* aux contraintes de l'environnement, c'est-à-dire qu'il s'écarte de son mode spontané de développement lorsque ce mode s'avère incompatible avec les réalités extérieures.

Apparition de la nouveauté

On conçoit que l'adaptation aux contraintes externes ouvre de nouvelles perspectives à la complexification: du point du vue du système, il ne s'agira plus d'inventer automatiquement d'autres variantes sur le thème connu, mais de découvrir les comportements inédits qui s'ajustent aux réalités extérieures. Même si ces comportements reviennent à superposer des variantes familières du thème, ils constituent des *nouveautés* dans le sens qu'ils sont inconnus du système isolé et inaccessibles sans contact durable avec l'environnement.

L'intégration du contexte

Le nid de fourmis fournit l'exemple simple mais instructif du développement réel d'une structure au travers de l'adaptation continue aux contraintes changeantes du milieu. En effet, il progresse en conservant sa structure de base, c'est-à-dire la cascade de bifurcations imbriquées, mais la forme réelle diffère de la forme idéale: le nid se réoriente à tous moments selon les aléas du milieu, par exemple quand il rencontre des sols durs ou de la nourriture en abondance. La forme globale reflète reflète donc la disposition géographique de ces contraintes: les processus adaptatifs *composent et enregistrent une carte* du milieu, il est vrai, selon une «lecture» utilitaire qui dévoile crûment les intérêts privés de la colonie.

La formation des codes

Plus généralement, l'interaction entre éléments a pour effet secondaire la création d'une *représentation* du contexte: *des signifiés sont reliés par un code à des signifiants*. Le code fait correspondre des éléments de nature irréductiblement différente, mais entretenant entre eux des relations de contiguïté analogues; les signifiés sont les parties du contexte reconnues par les individus tandis que les signifiants sont les déviations consenties par le système entier. La représentation est cependant à la fois partiale et partielle puisque seuls les traits importants sont encodés; le code n'est donc ni biunivoque (différentes influences se traduisent par la même déviation) ni dépourvu d'ambiguïté (une suite de déviations peut s'interpréter de différentes façons). Il n'empêche que se trouve ainsi créée une symétrie miroir nouvelle, superposée à la structure interne du système, et qui mémorise une partie du passé. *Cette création de symétrie miroir peut être considérée comme une activité spontanée et caractéristique des systèmes complexes.*

L'organisme est une représentation de l'environnement

Il faut enfin constater que les codes ne sont pas déterminés à l'avance: à mesure que la carte se compose, le contexte est modifié par l'activité d'assimilation du système (dans l'exemple, transport de matériaux par les fourmis), et cela dès les premiers moments de l'opération: il se produit donc un subtil mélange de processus *passifs et actifs* qui institue une relation réciproque, particulière et irréversible entre système et contexte. Un même contexte sera donc encodé différemment par les divers systèmes qui l'habitent. Chaque carte réalisée n'est que l'une parmi des multitudes de représentations possibles. De plus, elle évolue mais son histoire est unique. Mémoire du passé, elle engendre le langage présent dans lequel le système exprime son contexte; son avenir par ailleurs reste indéterminé, dépendant qu'il est des besoins du système et des conjonctures qui surviendront dans l'environnement.

L'idée que les organismes sont des représentations de l'environnement est souvent exprimée en biologie; elle s'est imposée depuis la découverte des «figurines», zones du cortex des mammifères où sont reproduites les zones de sensibilité du corps avec leurs relations géométriques. De même, selon les mots de J. P. Changeux [9], «le cerveau est une représentation du monde qui intègre les empreintes du monde physique et socio-culturel dans l'organisation des interconnexions entre neurones».

Les représentations mentales

Effectivement, le rapprochement avec l'activité mentale est inévitable; mieux, il mène simplement aux idées les plus avancées de l'épistémologie. Ces idées ne sont pourtant pas faciles à appréhender dans le détail, et une modélisation des processus de la pensée serait sûrement avantageuse même si elle ne devait pas ajouter beaucoup à nos connaissances techniques de l'activité mentale.

Par exemple, on vient de voir que lorsqu'un système complexe interagit avec son environnement, il en construit spontanément une représentation plus ou moins fidèle. C'est là une description adéquate de la *perception*, phénomène qu'on a déjà interprété comme aboutissant à une symétrie miroir entre le réel et les représentations mentales. Puisqu'il se produit sans effort sensible, ce phénomène doit être modélisable par des processus spontanés d'acquisition d'ordre.

Effectivement, il suffit de supposer que le système mental contient d'abord quelques représentations primitives et peut-être innées, par exemple les «constantes hallucinatoires» de l'art pictural; on peut ensuite argumenter que ces représentations primitives se réarrangent en symétrie miroir avec les données sensorielles et que des représentations mentales de niveau plus élevé sont construites. Si ces dernières sont assez fidèles, elles posséderont le couplage nécessaire pour se lier dans les combinaisons complexes découvertes plus tard dans la réalité. De proche en proche et jusqu'au niveau de complexité le plus élevé, l'ordre mental se présente donc comme une reconstruction de l'ordre réel. Cette reconstruction possède une fidélité qui reste à définir mais qui, en dernier ressort, repose sur les propriétés d'universalité de l'acquisition de l'ordre: reconnues en physique, elles assurent que si nombreuses que puissent être ses variantes, l'ordre ne dépend pas de la nature particulière des éléments et des interactions du système où il s'établit. Finalement, la modélisation conduit à l'idée que l'appareil mental s'édifie progressivement au cours des expériences successives, et que chaque perception représente une étape de croissance où la symétrie miroir se complète entre objets mentaux et objets réels.

La genèse des concepts

La genèse des concepts peut également être vue comme une construction mentale spontanée. Ici la démarche comprend tout d'abord la *réduction*, opération qui consiste à sélectionner dans la masse des données sensibles celles qui ont des traits communs suffisamment intéressants, puis à les rassembler dans une entité abstraite qui est le *concept*. Les traits communs font office d'interaction mutuelle attractive et l'on peut conjecturer qu'au cours du rassemblement les éléments mentaux effectuent le même chemin que les objets physiques qui s'ordonnent dans une structure. Cette conjecture est corroborée par la théorie psychologique du *constructivisme* [25]. Celle-ci affirme en effet que le sujet apprend par l'action: il lui faut manipuler patiemment les objets concrets jusqu'à ce qu'une coordination générale s'impose; il fait alors l'expérience de cet éclair de compréhension, l'*insight,* moment où les représentations dûment affinées par l'exercice de manipulation tombent d'elles-mêmes dans le nouvel ordre. Comme dans la perception, l'acquisition de cet ordre ne demande pas d'effort conscient; c'est un phénomène spontané qui reproduit la plupart du temps l'ordre concret.

Conclusions

Le parallélisme est maintenant évident: sous l'effet combiné des interactions entre éléments et des contraintes externes, les systèmes complexes engendrent spontanément des représentations de leur contexte. En toute analogie, les représentations mentales se composent de représentations élémentaires qui peuvent interagir entre elles à la manière des objets qui les ont suscitées, et les données sensorielles guident l'intégration du contexte que nous éprouvons comme perception du réel. D'après ce parallélisme, il faut s'attendre à ce que les représentations mentales souffrent des mêmes limites que celles des systèmes complexes: elles sont partielles, sujettes à une forme de sélection naturelle, et elles ne sont pas uniques. En revanche, et en accord avec notre expérience, elles ont une histoire qui garde la mémoire de l'expérience passée et qui détermine l'avenir de la connaissance, encore que cette détermination échappe à la prévision et dépende des besoins et des ressources qui s'offriront.

Malgré leur relative simplicité du point de vue mathématique, les bifurcations constituent un mécanisme d'adaptation du système qui est extrêmement efficace: chaque gain en complexité le fait entrer en symétrie miroir plus complète avec le contexte. Il reste maintenant à élucider en détail comment se détermine la fidélité de ces symétries miroir.

4 LE PARADIGME ÉVOLUTIONNISTE

Peut-être découvrirons-nous un jour que la même logique est à l'œuvre dans la pensée mythique et dans la pensée scientifique.

CLAUDE LÉVY-STRAUSS,
Anthropologie structurale

4.1 INTRODUCTION

Le lecteur aura sûrement retiré des chapitres qui précèdent l'impression que le monde mental plonge ses racines dans le monde physique: les objets mentaux ressemblent indéniablement aux objets physiques qui s'ordonnent par bifurcations. Une nuance de taille subsiste toutefois. Les objets mentaux, tout comme les êtres vivants, s'arrangent en systèmes d'une complexité inconnue en physique. L'ordre nous paraît même si ingénieux qu'il évoque l'action d'une volonté délibérée. Or il se trouve qu'en physique les bifurcations sont régies par un *principe d'optimisation* et ce principe marque profondément l'évolution qui procède par bifurcations. Il a en effet deux conséquences qui nous rapprochent de l'ingéniosité.

La première conséquence est qu'en vertu de ce principe d'optimisation, le système ne change que s'il est immédiatement bénéficiaire; pour être inductrice de changement, la variation du contexte doit donc répondre à un critère de sélection qui dépend du système et de son état actuel. De la sorte, l'évolution se trouve dirigée même si l'environnement fluctue au hasard. Par ailleurs, les bifurcations comptent parmi les changements où ce critère est le plus simple et par conséquent le plus souvent satisfait; de ce fait on peut s'attendre à ce qu'elles *dominent* statistiquement l'évolution et à ce que leurs propriétés dirigistes persistent aux niveaux les plus élevés de l'organisation biologique ou mentale.

La deuxième conséquence est que l'optimisation débouche sur la création de hiérarchie entre niveaux d'ordre. Par répétition en accord avec les propriétés d'universalité de l'acquisition de l'ordre, une hiérarchie à niveaux multiples peut se former qui relie le simple au complexe. Dès lors, il devient concevable qu'une évolution s'instaure spontanément et accroisse continûment la complexité d'un système disposant d'un environnement indépendant mais assez riche.

L'évolution par bifurcations

Ces propriétés offrent un intérêt évident pour la théorie de l'évolution car on sait que les êtres vivants gardent des liens plutôt lâches avec le contexte bien qu'ils en soient des représentations particulières: la biologie abonde d'exemples où divers organismes se développent également bien dans le même environnement et elle foisonne d'autres exemples où un organisme continue à prospérer malgré les changements extérieurs. Il en va de même du monde mental où l'on voit les personnalités se différencier largement quel que soit le contexte social. Les bifurcations devraient donc permettre de comprendre comment ces évolutions se différencient de façon souvent prévisible, alors que les environnements restent essentiellement incontrôlés et imprévisibles.

A elles seules, les bifurcations donnent donc lieu à un mode d'évolution d'apparence contradictoire: l'influence d'un environnement indépendant est nécessaire pour induire l'évolution, mais elle se déroule de façon largement autonome. Ce mode singulier ouvre précisément la perspective d'intérêt central dans cet essai: relier causalement l'ordre mental à l'ordre physique malgré la participation d'un intermédiaire non ordonné. Il sera par conséquent décrit en détail sous le nom de *paradigme évolutionniste,* appellation choisie pour souligner le caractère abstrait de la construction: elle comporte plusieurs modèles que la physique tient pour distincts mais impliquant tous des bifurcations. Sans prétendre rendre compte de l'entier de l'évolution biologique ou mentale, ce paradigme met au jour nombre de tendances générales qui y sont effectivement observées et il pourra être validé avec une grande plausibilité.

Dans ce chapitre, le principe d'optimisation sera d'abord déduit des propriétés des bifurcations. Ensuite, celles-ci seront utilisées pour construire le paradigme. L'argumentation fait appel à des phénomènes physiques assez familiers, mais elle va dans des détails qui la rendent peut-être difficile d'accès aux non-initiés. Le lecteur peut choisir de passer tout de suite aux derniers chapitres sur la dynamique (p. 133): ils justifieront mieux l'effort demandé car ils s'appuyent sur les processus de complexification expliqués dans le présent chapitre.

Le complexe comme effet de cumul d'événements simples

Le paradigme évolutionniste est construit en exploitant une deuxième fois l'hypothèse complémentaire posée dans l'introduction: bien qu'impliquant déjà l'ordre, les bifurcations sont ici considérées comme événements simples, et l'on envisage l'effet global à attendre d'une suite indéfinie de tels événements. Le nid de fourmis est l'exemple le plus simple où une suite de bifurcations, toutes identiques, aboutit à une structure globale reconnaissable. Dans le paradigme évolutionniste, elles pourront différer les unes des autres: *l'évolution est considérée comme la résultante cumulée d'un très grand nombre de bifurcations successives et affectant la plupart des paramètres du système.* De cette hypothèse vont se dégager deux informations cruciales: d'une part, les critères que le système doit satisfaire pour être valablement modélisé par bifurcations; d'autre part, la nature exacte de l'optimisation qu'elles assurent à son adaptation. On reconnaîtra facilement que ces informations concernent les êtres vivants: le paradigme va jeter un pont nouveau entre les systèmes physiques et les systèmes vivants en rendant les seconds les descendants distants, mais plausibles, des premiers.

Bases physiques du paradigme évolutionniste

Les propriétés physiques des bifurcations sont décrites en détail dans le texte parallèle (§ 4.2-5), de même que les hypothèses statistiques indispensables pour construire le paradigme (§ 4.6). Le lecteur en tirera les résultats essentiels qui suivent.

En contact avec un contexte *riche et changeant*, les systèmes complexes peuvent évoluer en changeant de structure interne, et cela de deux manières complémentaires que la physique distingue sous les noms de *métastabilité* et de *coexistence de phases*:

1. En régime de métastabilité, l'évolution induite par l'extérieur est marquée par l'activation préférentielle des structures à *taux maximal de production d'entropie*. Ce taux mesure *grosso modo* la vitesse des échanges entre système et environnement. Il fait simultanément figure de conséquence et de moteur pour l'évolution par métastabilité: elle se caractérise par le fait que *complexité et production d'entropie tendent à s'accroître* en même temps et à vitesse toujours plus grande; de la sorte, le système peut connaître l'évolution qui lui réserve les activités les plus intenses que l'environnement puisse soutenir. L'évolution induite tend donc à favoriser le système sur le plan quantitatif.

2. En régime de coexistence de phases, l'évolution induite par l'extérieur conduit à l'*autodétermination,* c'est-à-dire l'assertion de traits spécifiques du système qui régissent ses activités et qui se trouvent soustraits à l'influence de l'environnement. C'est une tendance à la *complexité par hiérarchisation;* elle mène directement à la notion

d'*identité* du système, définie comme l'ensemble des caractères qui ne sont pas modifiables par le contexte. L'évolution induite tend donc à favoriser le système sur le plan qualitatif.

3. L'évolution induite peut être bloquée si des forces aléatoires assez intenses s'exercent conjointement sur le système.

La nouveauté est toujours avantageuse

Les propriétés physiques des bifurcations ont un aspect à première vue extrêmement singulier: elles prescrivent que le système s'ajuste passivement au contexte, mais en même temps elles *optimisent* son insertion dans l'environnement car les nouveautés introduites lui apportent systématiquement avantage. La raison profonde est qu'en physique seule la stabilité relative des structures décide de leur sélection, les plus stables étant les plus fréquemment présentes; si les conséquences paraissent singulières à nos yeux, c'est que ce critère de sélection ne cadre pas nécessairement avec les préjugés qu'éveille l'idée de soumission passive aux contraintes. La notion que l'adaptation est avantageuse n'en est pas moins courante en biologie, mais on la voit ici reliée étroitement aux principes fondamentaux de la physique. Le paradigme va expliciter les détails de cet effet d'optimisation: il montrera comment les avantages acquis par adaptation aux contraintes aboutissent à la complexification croissante que l'on connaît dans la matière vivante. Le monde mental recevra une attention particulière car l'adaptation s'y manifeste comme la pensée associative et la pensée logique. Ces fleurons de l'esprit humain deviennent alors intelligibles comme conséquences, à nouveau lointaines mais plausibles, des principes de la physique.

Programme

Dans la suite seront d'abord discutées les propriétés formelles des régimes que distingue la physique, métastabilité et coexistence de phases; ces propriétés serviront à stipuler les tendances dominantes de l'évolution induite. La comparaison avec des systèmes réels sera conduite immédiatement afin de valider les deux régimes comme modèles de base du paradigme. La séparation de ces régimes n'est maintenue que pour les besoins de la discussion: étant complémentaires, ils peuvent s'engendrer l'un l'autre. De leur alternance répétée résulte la construction complexe qui fait l'objet du paradigme proprement dit; elle conduit finalement à la notion de développement par stades qui est une caractéristique reconnue du développement biologique ou mental.

4.2 LES SYSTÈMES OUVERTS À BIFURCATIONS

Les systèmes physiques intéressants du point de vue de l'interaction avec l'extérieur sont les systèmes hors équilibre dits *ouverts:* ils admettent de l'énergie et de la matière qu'ils transforment pour rejeter des produits spécifiques dans l'environnement. S'ils restent assez simples pour se prêter à l'analyse physico-mathématique, ces systèmes sont donc assez complexes pour présenter plusieurs traits caractéristiques de systèmes complexes du monde vivant. Par exemple, lorsque l'environnement a la configuration adéquate, ils se trouvent doués d'une *structure* particulière et ils exécutent une *fonction* associée à cette structure; cependant, structure et fonction peuvent être brusquement changées si l'environnement subit des modifications suffisantes.

Du point de vue des mathématiques, ces changements font partie des transitions traitées par la fameuse «Théorie des Catastrophes» [26]; ils en représentent la classe unidimensionnelle la plus simple qui est désignée sous le nom de «fronce» (71). L'analyse physique montre cependant que la *substitution de structure* peut se produire de plusieurs manières et qu'elle est sensible aux forces aléatoires qui sont souvent présentes dans l'environnement réel. Ainsi, pour ce genre de systèmes, la *thermodynamique des processus irréversibles* conduit aux généralités qui suivent.

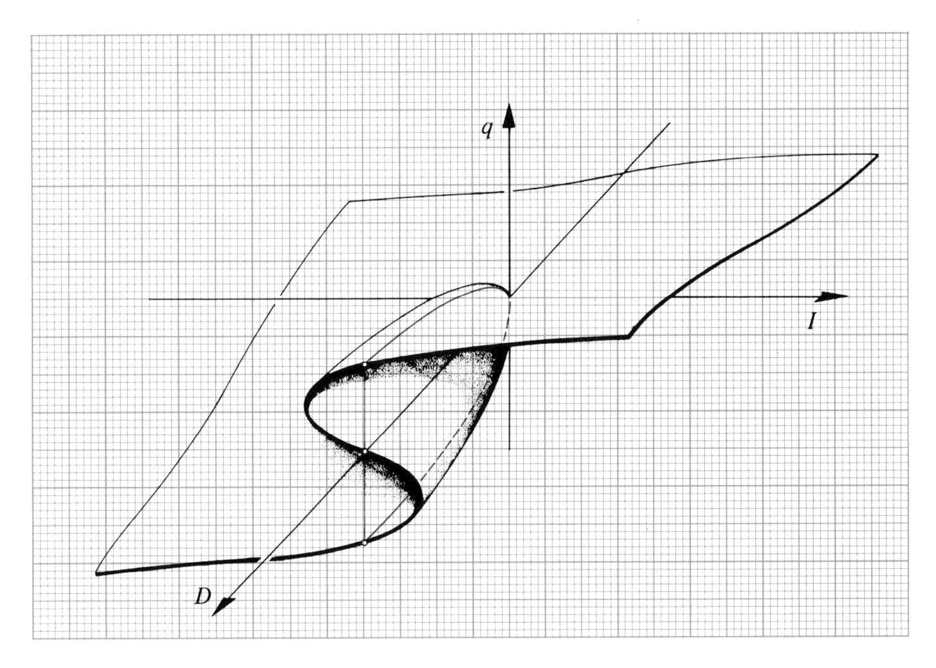

71. ***La bifurcation et la fronce.*** *Représentation en perspective du paramètre d'ordre q en fonction des champs extérieurs «moteur» D et «informationnel» I. La surface est le lieu des solutions de l'équation cubique* $q^3 - Dq - I = 0$*; la surface reste proche du plan* $q = 0$ *pour D négatif, mais elle se replie en fronce pour les valeurs positives de D. Les valeurs négatives et positives de q correspondent à deux structures différentes au sein du système, elles-mêmes formées à partir d'une structure plus simple où* $q = 0$*. On parle de transition induite lorsqu'une variation continue des paramètres D ou I fait passer q rapidement d'une valeur à une autre; la transition correspond à la substitution d'une structure nouvelle à l'ancienne.*

Etats stationnaires

Lorsque le système est soumis à un jeu de contraintes fixes et appelées désormais *champs extérieurs*, il possède un état stationnaire où toutes les variables globales restent constantes dans le temps. La structure de cet état est autoréglée par des mécanismes internes, dits *processus irréversibles,* qui sont essentiellement basés sur les collisions entre particules: ils ont pour effet de convertir en *chaleur* tout ou partie de l'énergie soustraite des champs extérieurs, de sorte que la structure peut rester identique à elle-même malgré la présence de ces champs et malgré les transferts internes qui accompagnent la production du système. Ces processus ont aussi pour effet d'*amortir* toute perturbation interne ou externe qui pourrait altérer la structure.

Transitions

En revanche, l'état stationnaire devient *instable* si les champs extérieurs sont modifiés de façon à faire passer le système par un *point de bifurcation* (72): à ce point se met en jeu un mécanisme à rétroaction positive qui fait accéder le système à un nouvel état stationnaire. C'est le phénomène de *transition* par lequel *structure, fonction et processus irréversibles sont simultanément changés.* La nouvelle structure est définie par rapport à l'ancienne par l'introduction d'une ou de plusieurs variables globales dites *paramètres d'ordre.* Sa stabilité est assurée tant que les champs persistent dans la configuration qui a provoqué la transition; leur modification ultérieure peut soit ramener le système à l'état initial, soit le conduire à un troisième état par une nouvelle transition.

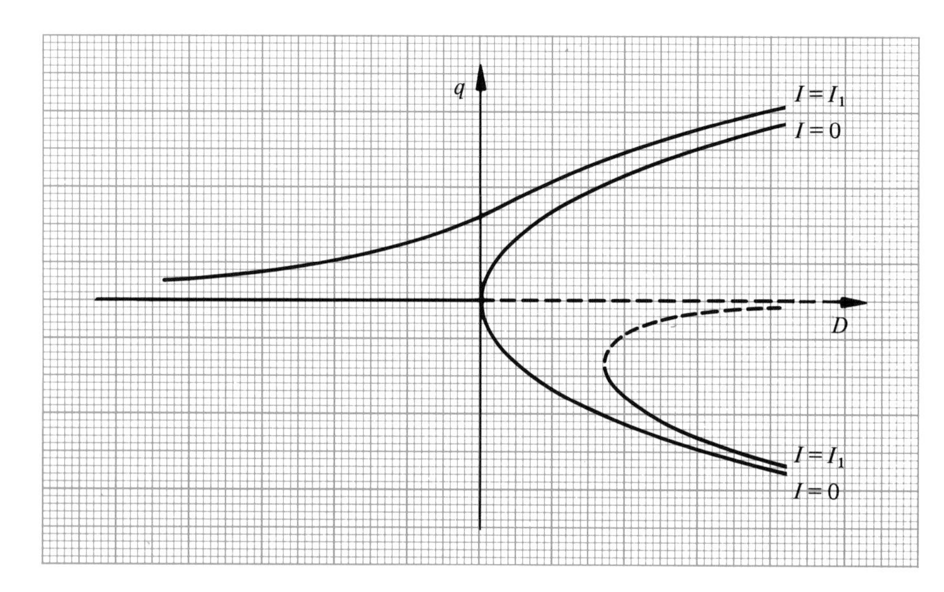

72. ***Comportement de bifurcation.*** *Représentation du paramètre d'ordre q en fonction de D à I fixe. Les états marqués en traitillé sont instables. Quand $I = 0$, l'accroissement de D fait apparaître des valeurs de q positives ou négatives avec la même probabilité, le choix étant tranché par les fluctuations aléatoires autour de $q = 0$. Pour $I = I_1$ positif, les valeurs positives de q sont les plus probables; les valeurs négatives peuvent être réalisées momentanément si des fluctuations de très grande amplitude se produisent.*

Modes de substitution

La physique montre que les substitutions de structure s'opèrent différemment suivant la *portée des forces de couplage* entre éléments du système. La portée est dite *longue* quand un élément peut influencer un grand nombre de voisins simultanément; dans ce cas, la substitution est *rapide* et l'on parle de *métastabilité.* Au contraire, la portée est dite *courte* quand l'influence est limitée aux plus proches voisins; dans ce cas, le système présente les *deux* structures simultanément, leur substitution est *progressive* et l'on parle de *coexistence de phases.* Enfin, si des forces aléatoires sont présentes, la structure unique du système métastable dégénère en une *coexistence de phase désordonnée.* Bien que des modes intermédiaires soient concevables, ces modes représentent des extrêmes obéissant à des règles dynamiques différentes qu'il faut examiner maintenant en détail.

4.3 LA MÉTASTABILITÉ

En thermodynamique, le terme de métastabilité est utilisé pour caractériser le comportement des systèmes où les forces mutuelles entre éléments ont une *longue portée* (73). Les exemples concrets comprennent entre autres les systèmes fer-

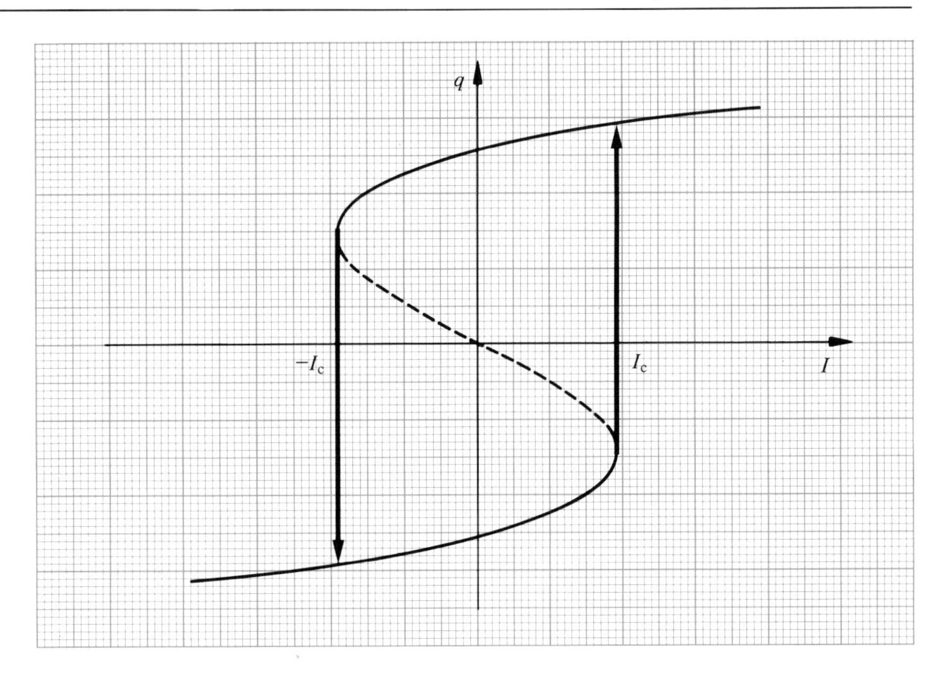

*73. **Comportement de métastabilité**. Représentation du paramètre d'ordre q en fonction de I à D fixe. Les états marqués en traitillé sont instables. Les transitions induites par les variations de I sont marquées par des flèches: l'accroissement au dessus d'une valeur critique I_c fait passer q d'une valeur négative à une valeur positive; la transition inverse a lieu si I diminue au dessous de $-I_c$. Les substitutions de structures sont globales et instantanées.*

romagnétiques à l'équilibre et les conducteurs ferromagnétiques hors équilibre [27]. Du point de vue de la modélisation, les propriétés suivantes sont particulièrement importantes:

Unicité de la structure

Le système ne contient qu'*une structure* à la fois; lorsque le champ extérieur adéquat atteint un *seuil* d'intensité critique, il y a transition *globale et rapide* d'une structure à la suivante.

Production d'entropie et complexité

Le taux de production d'entropie d'une structure s'accroît avec sa complexité. Effectivement, si la complexité est mesurée par le nombre de paramètres globaux à fixer pour spécifier la structure, on démontre que l'accroissement de ce nombre implique l'apparition de *constantes de temps* (durées caractéristiques pour amortir des fluctuations) *plus courtes* que celles déjà existantes [28]. Le seuil d'intensité critique du champ extérieur s'élève également avec le taux de production d'entropie de la structure finale. Le calcul permet aussi une solution très lente, donc invisible dans l'adaptation observable à court terme; elle n'est pas prise en considération dans le présent paradigme.

Physiquement parlant, la raison de l'accélération est facile à saisir. Il faut que la structure plus complexe soit stabilisée par des *processus irréversibles plus rapides* que ceux qui stabilisaient la structure simple, sans quoi ils ne pourraient les prendre de vitesse: la structure simple resterait stable et la substitution ne pourrait avoir lieu.

4.4 LA COEXISTENCE DE PHASES

Lorsque la portée des forces de couplage est courte, une autre situation prévaut appelée *coexistence de phases* (74). L'exemple familier est la transformation d'eau liquide en vapeur: deux *phases* sont en contact, c'est-à-dire que deux structures différentes de la même substance se touchent et peuvent échanger des molécules. On a déjà discuté de changements de phases au paragraphe 2.3 car cet échange est le prototype de la variation d'ordre en physique. Chacun sait que tant que le contact dure entre l'eau et la vapeur, la température est *invariante* même si de la chaleur est échangée avec l'extérieur: elle ne s'écarte pas de sa valeur fixée à 100°C sous pression atmosphérique. C'est aussi vrai pour le contact entre l'eau et la glace qui maintient la température fixe à 0°C. Enfin, il existe aussi des exemples hors équilibre comme la résistance ballast, sorte de régulateur électrique [29] où, de nouveau, une grandeur reste invariante vis-à-vis d'un paramètre extérieur, respectivement le courant et la tension. La thermodynamique des processus irréversibles permet d'énoncer à ce propos les généralités suivantes:

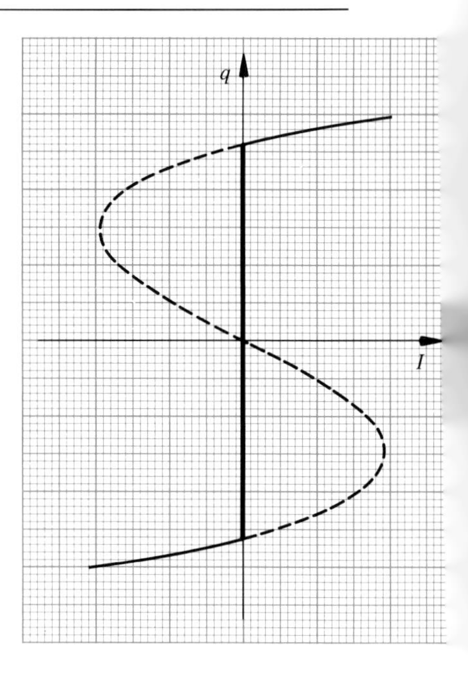

74. **Comportement de coexistence de phases.** *Représentation du paramètre d'ordre q en fonction de I à D fixe. Les états marqués en traitillé sont instables. Lorsque I s'accroît, q reste négatif jusqu'à ce que la valeur I = 0 soit atteinte; à ce moment, cette valeur I = 0 reste fixe tandis que la structure à q positif se forme dans un domaine du système. Les deux structures coexistent et se transforment l'une dans l'autre suivant les échanges avec l'extérieur, I restant fixé à zéro à moins que l'une des deux structures disparaisse.*

Equilibre et invariance

Lors de coexistence de phases, les substitutions de structures sont *locales et lentes*: en effet, l'instabilité ne peut créer la nouvelle structure qu'autour de «centres de nucléation» localisés ou à la surface de portions déjà transformées. Le système devient donc inhomogène, la nouvelle structure, ou *phase*, étant séparée de l'ancienne par une *frontière*. La présence de cette frontière est liée à l'effet observé: *une caractéristique du système devient invariante vis-à-vis d'un paramètre extérieur;* par conséquent, la capacité de ce paramètre d'induire des changements est suspendue. Dans l'exemple de l'eau en contact avec de la glace, on peut bien faire fondre la glace en apportant de la chaleur de l'extérieur, la température reste néanmoins invariante à 0°C. Ainsi la coexistence de phase soustrait le système à une influence extérieure et confère la faculté de *fixer lui-même la valeur de certains paramètres.*

Convertibilité des structures

A l'origine de ces propriétés se trouve le mécanisme de mise en équilibre des deux phases qui doit agir de manière qu'elles gardent le contact malgré leur différence de structure: or la frontière qui les sépare est libre de se mouvoir par simple conversion d'éléments d'une structure à l'autre, et ce mouvement ne s'arrête que si la conversion n'apporte plus d'avantage (énergie libre minimale); les deux phases sont alors en équilibre malgré la différence de structure. Comme l'effet des paramètres extérieurs diffère en réalité selon les structures, l'arrêt marque le fait qu'*une relation spéciale s'est instaurée entre ces paramètres*: ils ne peuvent donc plus varier indépendamment les uns des autres comme ils auraient pu le faire en l'absence de coexistence. Une superstructure s'est donc établie, où les deux structures font figure d'éléments soumis à une règle de transformation: une *hiérarchie de structures* est ainsi construite. Cette règle prescrit un invariant dont la nature ne dépend que des structures en contact, c'est-à-dire du système lui-même et à l'exclusion de toute interférence externe. En d'autres termes encore, une *norme autodéterminée* affecte une quantité particulière, qui dès lors *n'est plus accessible* au contrôle extérieur. Cette norme jouit des propriétés citées ci-dessous.

Régulation

La relation supplémentaire va rester en vigueur tant qu'une frontière est présente, et cela même si des contraintes externes s'exercent: elles n'auront pour effet que de déplacer la frontière par conversion d'éléments d'une structure à l'autre de sorte que le volume relatif des phases varie. Il s'agit donc d'un véritable *mécanisme de régulation*: un paramètre intensif (indépendant du volume des phases) est maintenu à une valeur de consigne malgré des variations externes, dont les effets se trouvent neutralisés par ajustement de variables extensives (volumes des phases).

Bien que la conversion d'éléments soit un processus chaotique, la régulation est d'autant plus *précise* que le nombre d'éléments en cause est *grand.* La preuve en est qu'on utilise couramment les changements de phases de l'eau pour calibrer les thermomètres. Le processus est donc fondamentalement différent des mécanismes de régulation cybernétique qui, eux, sont fondés sur le rétrocouplage négatif (*feedback*), action déterministe faisant intervenir un très petit nombre d'éléments. Les grands systèmes réglés, comme les écosystèmes, ne peuvent pas être modélisés par la cybernétique puisqu'ils sont couramment le siège de comportements chaotiques; le modèle de coexistence de phases se présente donc comme une alternative toute trouvée pour expliquer leur stabilisation.

Stabilité

La *norme est stable vis-à-vis de toutes les perturbations*, en particulier les fluctuations internes locales. Elles aussi donnent lieu à des échanges d'éléments entre les deux structures, mais la position moyenne de la frontière reste fixe et la norme reste en vigueur sans changement.

Résilience

On entend par ce terme la capacité d'une norme à rester invariable malgré des variations de *grande amplitude* dans l'environnement. Or, dans une coexistence de phases, la norme est observée tant que les deux structures sont simultanément présentes; elle est donc résiliente vis-à-vis de toute influence à moins que la frontière traverse le système et qu'une des structures soit éliminée. *La résilience s'accroît donc avec la dimension du système.*

Les normes sont imprévisibles et multiples

Tout comme l'ordre des éléments dans une structure, la norme assurée par la coexistence de phases n'est généralement pas déductible à partir de l'interaction entre les éléments. Même en physique, on l'a déjà dit, les changements de phases ne sont pas anticipés. Par conséquent, la coexistence de phases peut servir de modèle pour établir l'existence d'une norme mais non pour en prévoir la nature. De plus, l'unicité et la précision de la norme ne sont assurées que si les éléments du système sont tous identiques. Lorsque plusieurs espèces se mélangent, plusieurs normes font simultanément leur apparition. Elles peuvent affecter une même grandeur externe, dont la valeur de consigne se déplace alors avec un paramètre interne; par exemple, la température d'une distillation fractionnée monte lentement avec le poids des molécules en cours d'évaporation. Mais le jeu de normes simultanées peut aussi concerner *différentes grandeurs qui se règlent vis-à-vis de différents paramètres.* La chimie des mélanges est ainsi régie par la *règle des phases* qui fixe le nombre de paramètres laissés libres par les lois de l'équilibre; selon cette règle, le nombre de normes croît avec le nombre de phases *et* le nombre des réactions possibles entre espèces du mélange. Les effets de réglage qui en résultent sont décrits en chimie par le *Principe de Le Châtelier:* si les conditions externes d'un système sont modifiées, son équilibre se déplace de façon à contrecarrer la modification survenue.

Ce genre de complication doit être pris en considération dans la simulation de systèmes complexes: par hypothèse, la complexité comprend naturellement l'existence de diverses espèces d'éléments et de diverses interactions entre éléments de même espèce ou d'espèces différentes. Il faut donc s'attendre à la constitution de *jeux de normes simultanées et indissociables* lorsqu'un système complexe est susceptible d'entrer en coexistence de phases.

4.5 LA COEXISTENCE DE PHASES DÉSORDONNÉE

Comme on l'a vu au paragraphe 4.3, le comportement de métastabilité se manifeste dans les systèmes physiques où les forces mutuelles ont une longue portée: il donne lieu à des transitions nettes dès que le champ extérieur dépasse la valeur critique. Dans les systèmes unidimensionnels, ce comportement est très sensible aux forces aléatoires qui seraient appliquées de l'extérieur en concurrence avec le champ: elles désorganisent la cohérence à longue distance que les forces mutuelles entre éléments sont normalement capables de maintenir. *La capacité à faire transition est alors détruite.* En lieu et place, le système se subdivise en nombreux petits domaines de l'une et de l'autre structure; ces domaines se forment au hasard de façon à accroître le plus possible l'entropie de configuration: *le paramètre d'ordre reste strictement nul* (75). On retrouve donc une coexistence entre deux structures mais la position de la frontière qui les sépare n'est plus repérable: si les échanges d'éléments restent possibles, ils se déroulent sans corrélation sensible avec les variations des conditions externes. Dans cet état complètement désordonné, *le système s'est donc affranchi de l'influence extérieure comme s'il s'était isolé de l'environnement.*

75. ***Comportement de coexistence de phases désordonnée à une dimension.*** *Représentation du paramètre d'ordre q en fonction de I à D fixe et en présence de forces aléatoires externes d'intensité τ croissante. Les états marqués en traitillé sont instables. A intensité faible τ_1 le comportement de métastabilité est inchangé (transitions AB entre états ordonnés). Au dessus de l'intensité critique τ_2 l'état stable à faible champ I est complètement désordonné et le paramètre d'ordre q reste strictement nul; pour I compris entre $+I_c$ et $-I_c$ la résilience de l'état désordonné est infinie. Les états ordonnés peuvent être atteints par des transitions du type CD qui se produisent aux champs supérieurs à I_c, valeur beaucoup plus grande que les champs déclenchant les transitions AB du comportement de métastabilité. L'autre état ordonné n'est atteint que par l'intermédiaire de l'état désordonné (transitions successives EF puis GH). Enfin, aux intensités supérieures à τ_3 le comportement de transition est supprimé.*

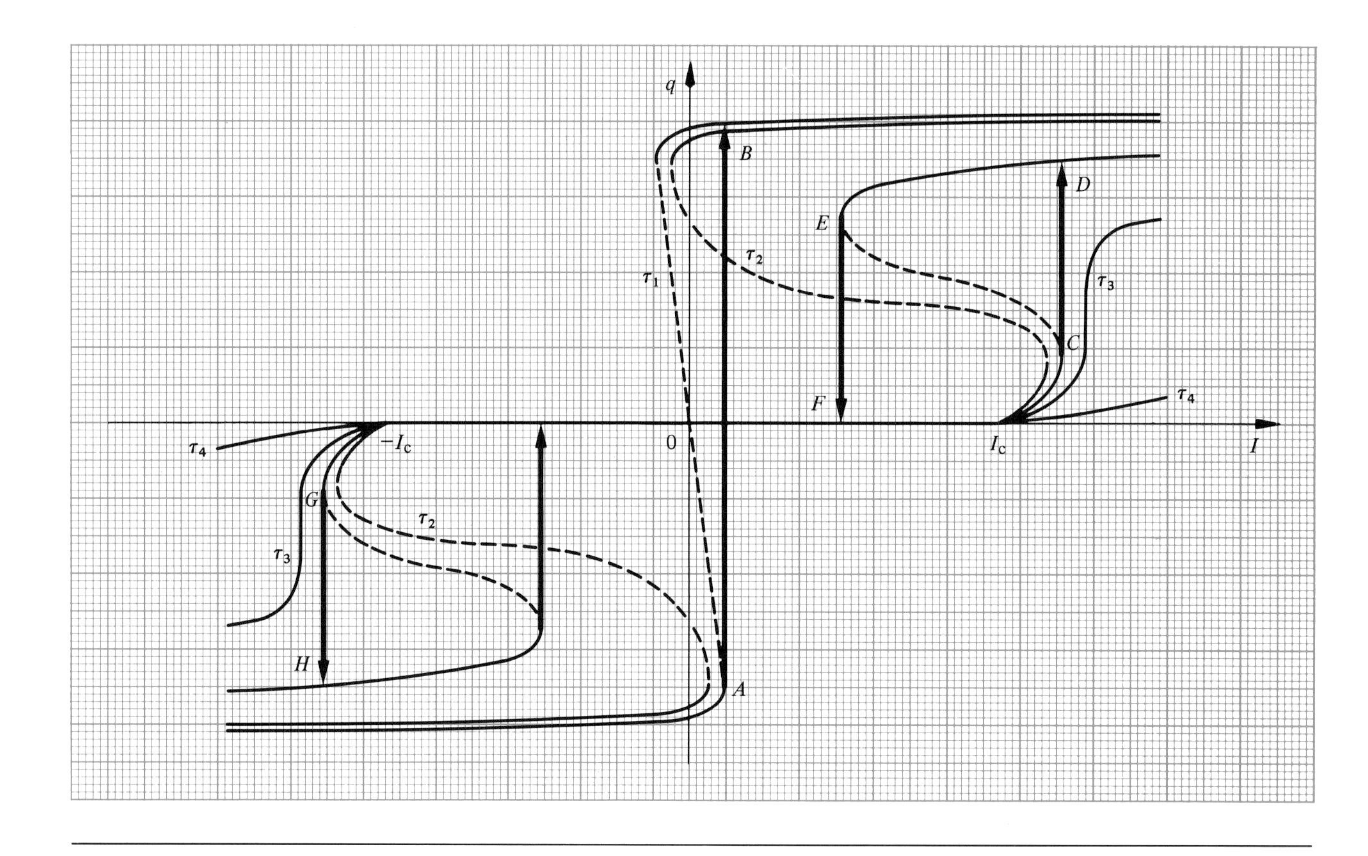

L'état désordonné est résilient

Enfin l'état désordonné est extrêmement résilient: il faut un champ de très grande amplitude ($I > I_c$ dans 75) pour induire une transition désordre-ordre vers l'un des états originels. Ces derniers ne sont que partiellement ordonnés car la frontière entre structures est alors floue, et l'état désordonné reste une étape inévitable dans le processus de transition entre les états originels. Enfin, si les forces aléatoires sont très grandes, le comportement de transition à son tour disparaît complètement.

L'aimant et la limaille de fer

Il existe une expérience bien connue qui illustre l'effet des forces aléatoires. En effet, tout le monde a vu à l'école comment on révèle le champ magnétique qui existe autour d'un aimant (76): on l'approche à quelque distance d'un carton saupoudré de limaille; la limaille ne réagit guère mais si l'on tapote légèrement le carton, on voit les brins s'arranger progressivement en filaments qui épousent la forme du champ magnétique. C'est une *transition désordre-ordre* au ralenti: la limaille est d'abord en désordre, mais les grains exercent entre eux des forces attractives du fait qu'ils sont aimantés par le champ sous-jacent; l'ordre est finalement acquis sous l'influence de ces forces mutuelles qui tendent à les aligner régulièrement.

Le ralenti lui-même provient des forces de frottement entre grains et carton. Ce sont des *forces aléatoires:* elles sont présentes en tous points de la surface de contact, orientées *au hasard* dans toutes les directions, leur résultante s'ajustant au poids du grain de façon qu'il reste en équilibre. Elles peuvent contrecarrer une poussée latérale car un déplacement microscopique des grains suffit à faire pencher la résultante: le frottement s'oppose donc efficacement à l'action des forces mutuelles. Mais le tapotement fait sursauter les grains, et pendant le vol les forces aléatoires sont momentanément annulées. La transition progresse donc d'un pas vers l'ordre.

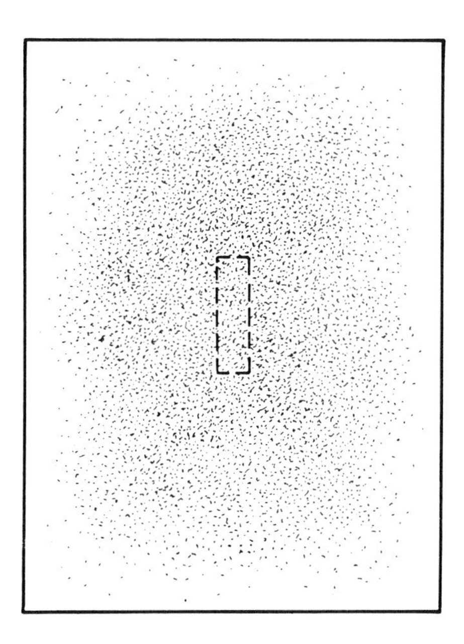

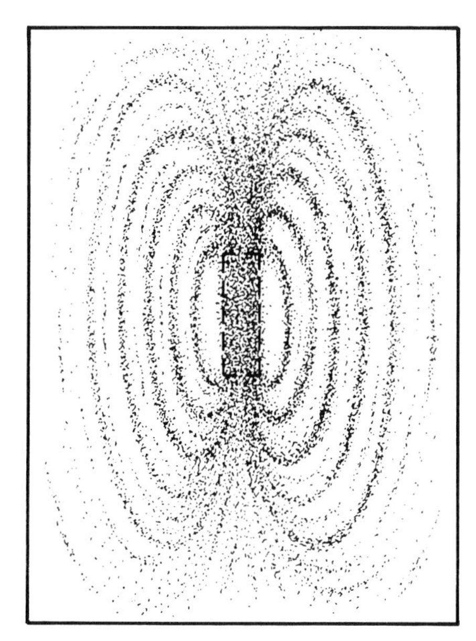

76. ***L'aimant et la limaille de fer.*** *Exemple de transition désordre-ordre au ralenti: de la limaille répandue au hasard sur un carton s'ordonne en filaments sous l'influence des forces mutuelles entre grains. Celles-ci sont suscitées par l'aimantation induite par l'aimant sous-jacent indiqué en traitillé. Les forces de frottement des grains sur le carton suffisent à bloquer la transition, mais si l'on tapote le carton, les grains s'en séparent momentanément et ces forces sont annulées; la transition progresse alors d'un pas vers l'ordre.*

En pratique, la résilience est infinie

Du point de vue du paradigme, le résultat le plus intéressant concerne le comportement aux *faibles champs* qui suffisent à induire les transitions en régime de métastabilité: ces champs resteront inopérants à moins que *les forces aléatoires soient d'abord réduites au dessous d'une intensité critique*. Le comportement usuel de métastabilité sera alors recouvré. Sinon, la résilience de l'état désordonné peut être considérée comme infinie puisque la sensibilité aux champs extérieurs est nulle.

Cette propriété spectaculaire est spécifique des systèmes unidimensionnels [27]. En effet, elle ne se retrouve pas dans les systèmes de dimensionnalité plus élevée: les forces aléatoires ne font qu'estomper progressivement la transition jusqu'à ce qu'elle disparaisse finalement aux très grandes amplitudes. *L'existence d'états complètement désordonnés et la résilience infinie peuvent donc être considérées comme la signature du caractère unidimensionnel.* Ce résultat est très important pour valider le paradigme comme on le verra à propos de la pathologie (§ 4.13).

L'ordre conditionne l'ouverture

Pour le moment, il faut retenir que la coexistence de phases désordonnée a une stabilité très forte, avec tous les attributs d'une propriété statique dans un système isolé. Il y a donc une différence essentielle entre cette stabilité passive et l'équilibre dynamique qui règne dans une coexistence de phase ordonnée: s'il y a désordre, les influences externes n'ont aucune répercussion visible, alors que s'il y a ordre, la frontière se déplace en réponse à ces influences et maintient le réglage. Comme modèle de stabilisation des systèmes, *la coexistence de phases associe donc clairement l'ordre avec l'ouverture et le désordre avec la fermeture,* dans le sens d'ouverture ou de fermeture aux interactions avec l'extérieur. Il y a cependant une différence avec la conception courante en Théorie du Système Général: ouverture et fermeture ne sont pas des propriétés de la frontière mais bien du corps du système; le système est sensible ou indifférent suivant que l'ordre y règne ou non.

Le mythe de l'ordre par le bruit

On rencontre dans la littérature [30] une idée paradoxale selon laquelle le désordre pourrait parfois de lui-même engendrer l'ordre. Elle est basée sur une expérience imaginaire dite des «cubes de von Foerster»: si l'on enferme des cubes aimantés dans une boîte, ils s'y entassent en désordre; mais si l'on secouait la boîte, on constaterait en la rouvrant que les cubes se sont arrangés en empilements partiellement ordonnés (77). Ce résultat présumé est interprété en affirmant que *l'introduction de désordre a produit un ordre* auparavant inexistant.

Curieusement, aucun physicien, semble-t-il, n'a tenté cette expérience si simple et si importante du point de vue épistémologique. C'est que le résultat présumé paraît douteux. Il n'y a en effet pas de différence de principe entre mettre des cubes au hasard pour la première fois en les introduisant dans la boîte et les remettre au hasard une deuxième fois en la secouant: ces deux événements sont totalement indépendants et doivent tourner statistiquement au même résultat de désordre total ou partiel. Mais à supposer qu'on les ait mis *délibérément* dans le plus grand désordre possible, de l'ordre apparaîtrait effectivement après les secousses. L'expérience réelle avec la limaille en donne la raison: les forces aléatoires de frottement qui bloquent le désordre initial seraient réduites lorsque les cubes volent sous l'effet des secousses, et de l'ordre se ferait pendant ce temps. D'ailleurs, il se ferait d'autant mieux que les secousses seraient plus régulières, c'est-à-dire ordonnées. L'introduction de désordre par les secousses est donc une description fallacieuse; au contraire, les secousses *diminuent* la part aléatoire des forces en jeu et les forces mutuelles sont alors libres de produire de l'ordre. En tout cas, l'expérience de la limaille ne suggère à personne l'idée que le désordre causé par le tapotement joue un rôle dans l'apparition de l'ordre.

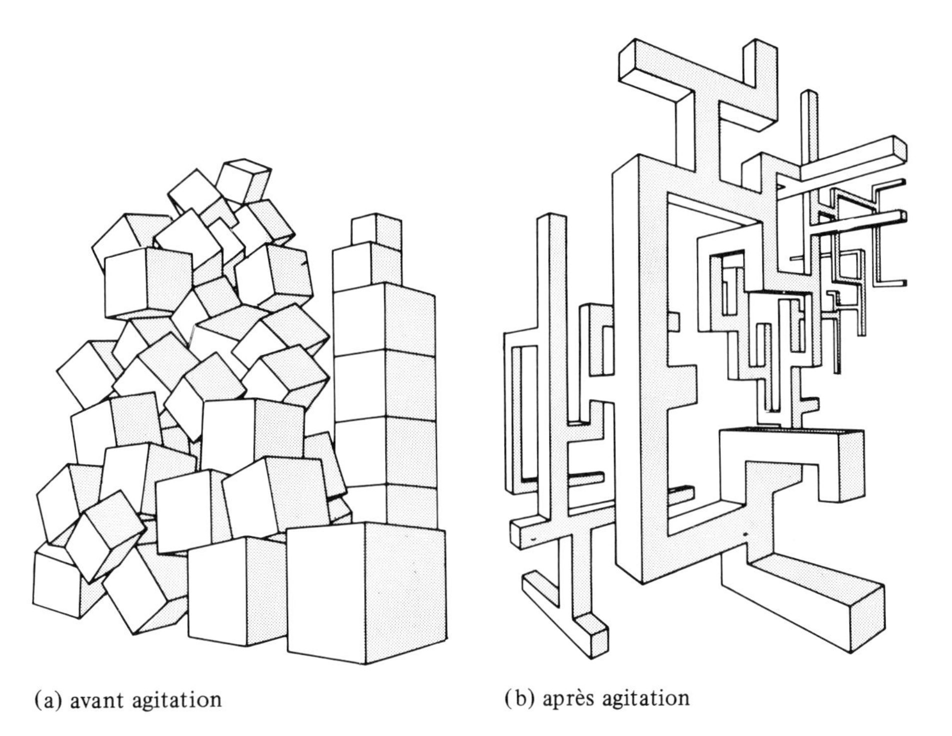

77. ***L'ordre par le bruit.*** *Expérience imaginaire selon laquelle des cubes aimantés en désordre dans une boîte s'ordonneraient en segments rectilignes si elle était secouée au hasard. L'interprétation avancée est que «l'ordre est produit par l'introduction de désordre».*

L'erreur d'interprétation est vraisemblablement une erreur de profane qui méconnaît la nature assez ésotérique des forces de frottement. En tout état de cause, cet argument a déjà fait l'objet de réserves [31] et il fut vivement dénoncé pour des raisons de rationalité dans une controverse mémorable [32]. «L'ordre par le bruit» est malgré tout resté un mythe que des précautions méthodologiques plus exigeantes auraient peut-être évité. Le paradigme contient pourtant une idée qui a la même portée épistémologique: les variations du contexte sont indispensables pour que le système évolue bien qu'elles soient aléatoires de son point de vue; leur rôle n'est cependant pas de débloquer une transition en attente, mais d'offrir des champs inducteurs variés parmi lesquels le système sélectionne la transition la plus avantageuse (§ 4.1). Le paradigme est visiblement plus prometteur lorsqu'il s'agira de rendre compte d'évolutions systématiques vers l'ordre complexe.

4.6 CONSTRUCTION DU PARADIGME ÉVOLUTIONNISTE

Les raisonnements à conduire dans la construction du paradigme sont purement thermodynamiques, c'est-à-dire que les hypothèses et les conclusions sont toutes de nature statistique. Elles rendent compte seulement des *situations les plus fréquentes et des tendances dominantes.* Il ne faut donc pas en attendre des conclusions générales contraignantes ni des renseignements sur les mécanismes grâce auxquels la complexité s'établit dans le système: ces mécanismes restent l'objet exclusif des disciplines concernées.

Le paradigme est construit sur deux hypothèses statistiques qui portent sur le système et sur l'environnement respectivement.

1. Le système est initialement *assez complexe* pour présenter de nombreux points de bifurcation dans l'espace des paramètres. Subsidiairement, ces points sont supposés *majoritaires* parmi tous les points singuliers que l'espace contient. On ne peut en effet exclure la possibilité de changements exceptionnels qui n'obéissent pas à la même dynamique, par exemple des mouvements périodiques ou chaotiques.

Avec cette hypothèse, on s'assure que les propriétés dynamiques des bifurcations restent perceptibles au moins à titre de tendances dominantes dans l'évolution observable.

2. L'environnement est *assez riche* pour exposer le système à une grande variété d'influences, y compris des ressources en suffisance. De la sorte, *la plupart* des points de bifurcation initiaux seront atteints tôt ou tard dans l'évolution du système. Subsidiairement, la complexification va accroître l'espace des paramètres et y introduire de nouveaux points singuliers en nombre d'autant plus grand que le système est déjà complexe; il est indispensable que l'environnement soit assez varié pour que *bon nombre de ces nouveaux points* soient aussi franchis: c'est seulement dans ce cas qu'on peut parler d'évolution complexe. Cette hypothèse sur la variété de l'environnement est donc très importante. D'ailleurs, si l'environnement est pauvre, la dynamique diffère au point de renverser la conclusion: la thermodynamique des processus irréversibles établit en effet que sous contraintes fixes, les états stationnaires ont le taux de production d'entropie le plus bas possible sous ces contraintes [28].

Ces deux hypothèses seront justifiées dans le chapitre sur la dynamique (§ 5.4). Le lecteur constatera déjà maintenant qu'ensemble, elles excluent pratiquement tous les objets d'étude de la physique traditionnelle puisque celle-ci traite essentiellement de systèmes simples dans un contexte contrôlé. En revanche les systèmes vivants dans leur environnement naturel sont les meilleurs candidats pour l'application du paradigme: les conditions énoncées se rapprochent visiblement des critères d'existence de la vie.

A partir de ces deux hypothèses, le paradigme se construit en recherchant les conséquences globales qui résultent d'une suite très longue de bifurcations successives, et ces conséquences figureront comme tendances dominantes dans l'évolution complexe à prévoir. L'application elle-même consistera à tenir compte de la nature du système: suivant la portée des couplages entre éléments, on peut identifier le régime pertinent, métastabilité ou coexistence de phases, puis les tendances dominantes pourront être interprétées dans le langage approprié à ce système. Ces procédures sont conduites dans le texte principal à plusieurs reprises.

4.7 MÉTASTABILITÉ ET CROISSANCE DES SYSTÈMES

La métastabilité peut modéliser la production et la croissance d'un système complexe. En effet, les changements par métastabilité vont vers les structures de grande stabilité qui, dans les systèmes hors équilibre, sont liées à la vitesse à laquelle la fonction associée est exécutée: le taux d'activité du système est donc concerné, que ce soit le taux de production ou le taux de croissance.

Critères de modélisation

Le critère principal est l'existence d'un couplage entre éléments du système qui soit à longue portée, c'est-à-dire que les influences mutuelles doivent s'exercer sur un grand nombre d'éléments simultanément et non pas séquentiellement. Par exemple, cette exigence est assurément satisfaite dans un *réseau de communication suffisamment dense*, ou *dans une hiérarchie à niveaux multiples* où tout élément a des relations avec des classes entières d'autres éléments. Les organismes vivants répondent souvent à ce critère, le cerveau en particulier, et *a fortiori* les représentations mentales. Il est donc concevable que ces ensembles forment des systèmes métastables et capables de changer par transitions globales sous l'influence du milieu.

Nature de l'optimisation

Selon la physique (§ 4.3), chaque transition mène à une nouvelle structure qui possède un taux de production d'entropie supérieur à l'ancienne; comme ce taux mesure pratiquement la vitesse à laquelle la fonction associée est exécutée, il ressort que le comportement de métastabilité donne au système le pouvoir de fonctionner constamment *à la plus grande vitesse* compatible avec les conditions externes. Parmi celles-ci figurent les ressources disponibles et, pour chaque configuration de ces ressources, on peut prévoir qu'il existe toujours une structure privilégiée: c'est celle qui a un taux fonctionnel plus élevé que toutes les autres et c'est elle qui sera automatiquement sélectionnée lorsque la configuration en question se présente. L'accélération du fonctionnement, qui est à la fois conséquence et moteur du changement de structures, a donc pour effet d'activer systématiquement *les structures les plus productrices* que le système est capable de construire.

Maximalisation de la productivité

On peut poursuivre en invoquant un argument bien connu en thermodynamique: si, à la longue, une correspondance *stationnaire* (invariante dans le temps) finit par s'établir entre configurations et structures, c'est que la composition actuelle du système ne peut lui procurer des structures de meilleure performance; il a par conséquent *maximalisé la productivité* dont il peut jouir. Cette tendance a pour corollaire que toute configuration externe est devenue un *signal* déclenchant un comportement *unique et optimalisé* à la suite d'une longue expérience: tout se passe à nos yeux d'observateur comme si le signal est *reconnu* par un système qui a une conscience critique de l'extérieur! Pour autant que le système soit assez complexe pour établir un grand répertoire de telles correspondances, il nous apparaîtra comme doué d'une série de *schèmes d'action* grâce auxquels il tire le meilleur parti concevable des occasions offertes dans son environnement.

Assimilation et accommodation

On distingue immédiatement deux genres de processus qui concourent à cette adaptation. Premièrement, sur réception d'un signal éprouvé, la structure correspondante du répertoire est activée; de la sorte, le système impose à l'environnement la fonction qui lui profite le mieux dans les circonstances qui lui sont faites: c'est un *processus d'assimilation*. Deuxièmement, un *processus d'accommodation* peut s'amorcer lorsque la configuration contient un élément encore inexpérimenté: le système peut franchir un nouveau point de bifurcation et si la nouvelle structure s'avère stable, c'est qu'elle possède un rendement plus intéressant que celle qu'elle a remplacée. Or, les nouveaux points sont d'autant plus probables que le système est déjà complexe (§ 4.5, point 2). Le répertoire a donc les plus grandes chances de s'enrichir d'une fonction nouvelle ou améliorée, et c'est la plus profitable dont il puisse se doter dans la configuration qui lui était primitivement inconnue. Le modèle de la métastabilité rend ainsi compte des conceptions avérées de l'adaptation en biologie, ou de l'apprentissage en psychologie génétique [25].

La croissance est aveugle

Parmi les fonctions importantes assurées par métastabilité figure la reproduction au sens large, croissance ou multiplication. La conséquence est que *les systèmes complexes tendent spontanément et irrésistiblement à la plus grande expansion que l'environnement puisse tolérer*. Tant qu'ils gardent leurs propriétés de métastabilité, ils tendent aveuglément à l'exploiter à fond, même au risque de le ruiner.

L'exploitation aveugle est commune chez les parasites biologiques comme les virus, ou les parasites sociaux que sont parfois les armées. Cet aspect funeste de l'évolution des systèmes naturels est entouré de discrétion même dans la nouvelle conscience écologique. Pourtant les meilleurs naturalistes le reconnaissent même s'il reste inexpliqué dans les termes classiques de la théorie de l'évolution. Par exemple, le célèbre anthropologue G. Bateson professait des vues qui s'accordent très bien avec les conséquences de la métastabilité: la comparaison est menée point par point dans le texte parallèle (§ 4.8), et le lecteur pourra vérifier que cette comparaison constitue une première validation fondée du paradigme évolutionniste.

Conclusions

Le modèle de la métastabilité rend compte d'aspects fondamentaux de l'adaptation des systèmes vivants. Ce modèle fait valoir qu'à chaque pas une optimisation est réalisée, moyen économique de garantir par avance l'efficacité. De la sorte, l'adaptation consentie par le système produit des aptitudes et, au moins à court terme, elle le rend gagnant dans la majorité de ses démêlés avec l'environnement. Elle exclut ce faisant des arrangements moins spécialisés qui pourraient mieux faire face à l'inattendu; en conséquence, elle tend à rendre le système vulnérable aux modifications brusques de l'environnement.

4.8 PREMIÈRE VALIDATION: L'ÉVOLUTION DES ESPÈCES

Les critères de l'esprit

Dans son livre *Mind and Nature* [33], G. Bateson discute des différences entre les choses et les êtres vivants, et il avance à ce propos que ces derniers bénéficient d'une structure spéciale puisqu'elle leur confère un pouvoir inconnu des choses: le pouvoir d'évoluer, c'est-à-dire de s'adapter, d'apprendre, voire de penser. Il a ainsi appelé «esprit» *(mind)* tout système satisfaisant à six critères généraux qui, selon lui, distinguent fondamentalement l'animé de l'inanimé. Mais les choses se vengent: il se trouve que ses critères reproduisent exactement les hypothèses de la métastabilité! Si l'on accepte quelques incertitudes quant à son langage de naturaliste, il est effectivement possible de tirer un parallèle complet entre les propriétés des systèmes métastables et celles des systèmes mentaux (tab. 78 et 79).

Le modèle sépare hypothèses et conséquences

De plus, la comparaison montre ce qu'à vrai dire Bateson subodorait: les six critères qu'il a proposés ne sont pas mutuellement indépendants. En effet, les quatre premiers critères du tableau 78 portent sur les propriétés des composants du système et le définissent complètement du point de vue de la physique; en revanche, les deux derniers critères concernent des propriétés globales qui, dans la logique de la modélisation, sont *dérivables* des propriétés des composants. C'est une application exemplaire de la modélisation du complexe par le simple: elle rend compte de relations globales qui échappent à la déduction, même pour un esprit aussi affûté que celui de Bateson. On en a vu la raison au début de ce livre: du fait que ces relations font intervenir les couplages cumulés d'une infinité d'éléments, elles ne ressortissent pas aux opérations discrètes de la logique formelle.

Les avatars de l'adaptation

Il est en outre possible de poursuivre la comparaison jusqu'aux comportements typiques qui résultent de la conjonction des critères de l'esprit: on peut s'attendre à ce que ces comportements soient marqués par l'aveugle optimisation locale. Il y a effectivement un certain romantisme à voir l'adaptation biologique (le pied du cheval

TABLEAU 78 Systèmes métastables et systèmes mentaux.

Systèmes métastables selon le paradigme	Systèmes mentaux selon G. Bateson
Définitions	*Critères de l'esprit*
Le système est un ensemble d'éléments en interaction.	L'esprit est un agrégat de parties en interaction.
L'interaction est mutuelle à longue portée.	Des chaînes de détemination circulaires ou plus complexes sont requises.
Le système est couplé à des champs moteurs fournissant continuellement de l'énergie.	De l'énergie collatérale est requise.
Le système est couplé à des champs informationnels ne fournissant de l'énergie que pendant les transitions; les transitions sont déclenchées lorsque les champs informationnels dépassent des valeurs critiques spécifiques du système.	L'activité est déclenchée par des différences reliées à la néguentropie et l'entropie plutôt qu'à l'énergie.
Propriétés stationnaires	*Critères globaux*
Les structures sont en correspondance terme à terme avec les configurations des champs et en représentent une version codée unique.	Les effets des différences doivent être considérés comme des transformations (versions codées) des événements qui précèdent.
Une série de structures est construite et constitue une représentation partielle des configurations des champs extérieurs.	La description et la classification des processus de transformation révèlent une hiérarchie de types logiques immanente aux phénomènes.

TABLEAU 79 Systèmes métastables et systèmes mentaux.

Systèmes métastables selon le paradigme	Systèmes mentaux selon G. Bateson
Propriétés dynamiques	*Comportements*
Le système a tendance à demeurer dans des états hautement productifs et à les améliorer en préférence, de sorte qu'il développe le plus petit nombre possible d'aptitudes de rendement sans cesse croissant.	Par un processus d'accoutumance, le système s'adonne exclusivement à la tâche de maintenir constant un certain taux de changement.
Le système tend à éviter les états moins productifs et faillit à les améliorer.	L'innovation instaure des changements qui obligent le système à renoncer à d'autres adaptations.
Il favorise l'exercice des aptitudes acquises aux dépens de l'apprentissage d'aptitudes nouvelles et il préfère la productivité à la versatilité.	La flexibilité se perd et ce qui paraissait souhaitable à court terme devient un désastre à long terme.
Il tend à ignorer les informations sans rapport avec les les aptitudes de haut rendement.	Il se comporte comme s'il n'était plus dépendant des espèces ou des individus voisins.
Il engendre des irréversibilités dans l'environnement en provoquant dans les systèmes concurrents ou symbiotiques les réponses adaptées à ses propres besoins et produits.	L'interaction avec d'autres espèces ou individus entraînera un changement de contexte qui appelle des innovations du même genre et le système part en escalade ou s'emballe.
La croissance est la fonction privilégiée tant que les champs moteurs subsistent.	L'adaptation favorise l'espèce au point qu'elle surexploite l'environnement d'une façon ou d'une autre et finit par détruire sa niche écologique.

ou le cerveau de l'homme, par exemple) comme faite d'ajustements élégants dans le seul but d'assurer les meilleures chances de survie à l'espèce. Au contraire, Bateson voyait lucidement qu'elle ne connaît pas d'autres valeurs que le profit immédiat et que l'ingéniosité apparente peut aussi signifier dangereuse surspécialisation.

Des conclusions aussi pessimistes sautent aux yeux si l'on se fie à la métastabilité comme modèle: la comparaison est menée point par point dans le tableau 79. Le lecteur reconnaîtra qu'elle réussit étonnamment bien, ce qui constitue un test de validation exigeant pour la modélisation; de plus et pour la première fois, une explication détaillée des comportements observés est avancée: Bateson déplorait que ces processus soient restés si obscurs car il y voyait l'origine des désastres écologiques qui menacent l'humanité, y compris la course aux armements. D'après la modélisation, on devrait donc se convaincre que l'adaptation est synonyme d'optimisation à courte vue et que l'avantage acquis se paie naturellement par la vulnérabilité; on devrait aussi voir qu'elle est un reflet lointain mais inéluctable de la non-linéarité du monde physique: on est réduit à tolérer les conséquences fâcheuses au même titre qu'on tolère que l'entropie croisse inéluctablement dans nos machines thermiques. Ces conséquences doivent donc rester tolérables, sinon il vaut mieux renoncer et, en tout cas, cesser de croire qu'il s'agit d'insuffisances regrettables mais indéfiniment corrigibles en améliorant les systèmes.

4.9 COEXISTENCE DE PHASES ET IDENTITÉ

Tandis que la métastabilité modélise la production et la croissance, la coexistence de phases modélise la stabilisation et la maturité. En effet, tant que des phases coexistent à l'intérieur du système, ce dernier se trouve dans un état d'équilibre dynamique qui se conserve même si certains paramètres extérieurs varient: par le biais de l'échange d'éléments entre les phases, un réglage s'instaure qui garde constante une norme autodéterminée. Cette norme, il faut le rappeler, constitue une structure émergente comptant les structures des phases comme éléments; elle leur est donc hiérarchiquement supérieure, mais elle ne peut s'en déduire par voie logique. L'effet majeur de ce processus de hiérarchisation est de compenser l'influence externe qui affecte le niveau d'activité; le système devient alors autonome dans le sens qu'il contrôle lui-même ce niveau.

Critères de modélisation

La physique fournit le critère que le système doit satisfaire pour qu'une coexistence de phase le modélise valablement: le couplage entre éléments doit être à courte portée. Il faut entendre par là que les influences mutuelles sont restreintes à des paires d'éléments contigus et que toute transmission à travers le système se propage séquentiellement d'élément à élément. Ce sera le cas pour les objets d'une même classe qui sont substituables mais exclusifs deux à deux, par exemple les molécules d'une même substance, ou les divers comportements pouvant servir une même fonction mais s'excluant l'un l'autre, etc.

La perception se termine par une coexistence de phases

Comme on l'a déjà suggéré à plusieurs reprises, la perception peut être vue comme un phénomène de croissance qui tend à reconstruire le réel à partir des données sensorielles. La croissance commence par l'identification et la classification de nombreux objets, opérations spontanées ressortissant de la métastabilité. Ensuite vient le tri par essais et erreurs entre les diverses manières dont ces objets peuvent *vraisemblablement* s'associer: si l'on considère ces manières comme des éléments d'un système s'excluant deux à deux, l'opération de tri est simulable par une coexistence de phases de ce système.

En effet, les critères de vraisemblance définissent une *frontière* entre l'admissible et le non admissible. Les corrections successives qui s'imposent au cours de la reconstruction consistent à *échanger* des éléments de part et d'autre de cette frontière; ces échanges vont se poursuivre tant que l'interprétation évolue et jusqu'à ce qu'elle se montre invariante: les échanges encore envisageables ne l'affectent plus. Par exemple, le chardon symbolique finalement identifié dans l'illustration 1 reste une interprétation acceptable même si le contenu de la corolle est perçu comme des trous, des taches ou des yeux. La *norme* qui s'est bâtie sur cet échange est le réseau tissé entre les identifications spontanées, réseau qui constitue l'interprétation de la scène: l'invariance est le meilleur garant que toute autre interprétation est moins vraisemblable. Visiblement, la reconstruction du réel devient compliquée lorsque les automatismes de la familiarité font défaut.

Comme on le verra plus loin, cet arrangement est la norme intermédiaire dans une structure qui compte un troisième niveau: les critères de vraisemblance font eux-mêmes l'objet d'une construction dont la norme stipule que les représentations mentales doivent être cohérentes entre elles. On conçoit ainsi que la perception s'achève quand la cohérence s'est suffisamment étendue, le produit final intégrant l'information nouvellement reçue au savoir antérieur.

Elasticité des normes

Comme expliqué dans le texte parallèle (§ 4.4), la coexistence de phases donne lieu à une norme unique à condition que tous les éléments du système soient identiques. Dans un système complexe, par contre, il faut envisager diverses variétés d'éléments, chacune formant une sous-classe repérable par une variable interne supplémentaire. Dans ces conditions, la physique montre que la norme peut avoir plusieurs valeurs et que la variable interne supplémentaire détermine la valeur qui sera respectée. Les normes sont donc *élastiques* dans le sens que les façons dont elles sont satisfaites sont subordonnées à l'état du système. L'exemple mental immédiat est l'apprentissage: les standards acceptés pour la réussite varient avec l'âge, la formation reçue antérieurement, etc.

Multiplicité des normes

Une deuxième conséquence encore plus significative s'impose dans la modélisation des systèmes complexes: les éléments peuvent être eux-mêmes assez complexes pour entrer en diverses combinaisons à la manière des éléments chimiques dans un mélange. Alors, selon la physique, plusieurs grandeurs de nature différente se trouvent réglées simultanément, et les normes suivies sont logiquement indépendantes les unes des autres. La conséquence est qu'un système suffisamment complexe présentera tout un *jeu de normes, sans lien logique* nécessaire, voire contradictoires ou paradoxales, mais les normes de ce jeu sont *indissociables* les unes des autres.

Exemples picturaux

Les dessins à interprétations multiples donnent les meilleurs exemples de cette multiplicité: les éléments graphiques y sont intentionnellement arrangés de façon qu'ils s'associent de plusieurs manières pendant la construction de la perception visuelle. Le résultat étonne car l'image prend plusieurs significations, tout aussi stables et légitimes les unes que les autres, mais sans relation intelligible entre elles. Par exemple, la figure 80 s'interprête ou comme un vase, ou comme deux visages vus de profil. On constate que la conscience ne retient que l'une des interprétations à la fois, mais avec de l'entraînement, elle peut osciller de l'une à l'autre plus ou moins à volonté. C'est plus difficile si l'image est complexe (81): la résilience d'une perception achevée s'accroît tout comme la résilience des normes des grands systèmes physiques. Mais l'intérêt majeur de cette dernière image est que les deux interprétations sont à la fois *contradictoires et indissociables:* sorcière et belle de nuit. Peut-être la démonstration frappera-t-elle les esprits

*80. **Dessin à double interprétation:** vase et profils. Les mêmes éléments graphiques donnent lieu à deux perceptions sans lien logique entre elles.*

*81. **Dessin à double interprétation:** sorcière et belle de nuit. Les deux perceptions sont à la fois indissociables et contradictoires.*

cartésiens: l'établissement de normes multiples dans un même système ne s'embarasse d'aucune contrainte logique.

L'autonomisation

Ainsi, au fur et à mesure qu'un système évolue par coexistence de phases, on doit s'attendre à ce que des normes autodéterminées s'établissent en nombre rapidement croissant. En contrepartie, la dépendance vis-à-vis de déterminants externes diminue: le système s'affranchit progressivement des influences extérieures. A la longue et au moins pour ce qui concerne les événements courants, il finit par disposer d'un jeu stationnaire de normes qui constituent autant de règles pour traiter ces événements de façon autonome. On peut reconnaître cet aboutissement comme un *état de maturité* où, selon l'opportunité, se succèdent des décisions indépendantes et différenciées: le système manifeste ainsi une «personnalité», et à l'extrême, une «originalité». Il tombe sous le sens que les êtres vivants, individus et sociétés, relèvent de cette description et sa pertinence est une validation de principe pour le modèle de coexistence de phases.

La double description

L'autodétermination a déjà fait l'objet d'abondantes spéculations: la hiérarchie y joue régulièrement le rôle clef mais elle est présupposée dans la structure du système. G. Bateson [33] a proposé un mécanisme original qui explique la création même de cette hiérarchie. Selon lui, l'autodétermination est une propriété du système qu'il appelle la «double description»: lorsqu'on dispose d'une paire de descriptions pour une même réalité, elles impliquent l'existence d'une troisième description qui leur est de niveau supérieur; le niveau est effectivement supérieur car il intègre les différences entre les structures originales, informations contenues dans aucune d'entre elles. Cette notion de double description présente ici l'immense intérêt de faire appel à *la même configuration de structures* que la coexistence de phases, à savoir que deux structures contenant les mêmes éléments sont mises en contact. Cet étonnant isomorphisme est décrit en détail dans le texte parallèle (§ 4.10). Le lecteur pourra vérifier qu'il apporte une validation très générale au modèle de la coexistence de phases. En fait, compte tenu des vues perspicaces de Bateson, ce modèle devient applicable aux plus hauts niveaux de l'évolution de la matière vivante et de l'organisation mentale.

Spontanéité et sélection naturelle

En particulier, le comportement contrôlé par des normes autodéterminées a toutes les apparences de la spontanéité: en effet, l'observateur d'un système ne peut connaître ses normes que par l'expérience directe. Elles lui restent imprévisibles et inexpliquées, à moins qu'il trouve les moyens de faire de la mécanique statistique, mais il les voit constamment réaffirmées comme des évidences indiscutables. Elles ne lui paraissent en tout cas pas justifiées par le résultat obtenu: ici, la stabilité ne fait pas intervenir d'entité externe toujours croissante comme dans le cas de la métastabilité; par conséquent, aucun principe de renforcement par la production n'est décelable. Par exemple, le rat a un comportement d'exploration spontané qui est normé: mis en présence de boîtes parmi lesquelles les unes contiennent de la nourriture et les autres lui infligent un choc électrique, il s'entête à les visiter toutes. Le comportement n'est pas soumis au conditionnement puisqu'il n'est pas suspendu par la crainte: répété pour lui-même, ou pour l'information recueillie plutôt que la réussite, il est *autovalidé*.

Selon le modèle de coexistence de phases, les comportements normés apparaissent spontanément quand l'environnement présente les conditions adéquates, et ils sont poursuivis sans égards aux conséquences ni même à leur compatibilité mutuelle: en accord avec notre expérience journalière, l'éventuelle contradiction entre normes est ignorée ou considérée comme une faute vénielle. Il n'y a finalement que la concurrence avec d'autres règles ou d'autres systèmes qui puisse décider de la viabilité à long terme: seule la *sélection naturelle,* par répression ou guerre d'usure, vient à bout des comportements spontanés. Les moins dommageables, comme les comportements de jeu, peuvent subsister. Au pire, ils sont jugés curieux ou incompréhensibles, mais ils sont tolérés avec fatalisme, à témoin les excentricités de tous genres qui font le sel de la vie sociale, et les innombrables imbroglios administratifs et techniques qui encombrent la vie socio-économique. Ces derniers font d'ailleurs l'objet d'une science amusante dite «systémantique», à laquelle le texte parallèle fait une courte introduction (§ 4.11).

Conclusions

Le modèle de la coexistence de phases met en évidence une propriété inattendue de l'adaptation aux contraintes: elle ne signifie pas seulement que l'organisme répond passivement comme dans le darwinisme, mais elle lui donne toutes les occasions d'affirmer sa spécificité. Il peut ainsi développer des aptitudes et des préférences qui restent acquises et qui, à maturité, constituent son identité. Celle-ci se construit donc surtout par le jeu de l'intérêt à court terme, mais la sélection naturelle élague ce qui ne peut durer: l'intérêt à long terme est donc systématiquement servi par le court terme le moins dommageable. L'acceptable est donc très vaste et l'évolution garde une grande latitude pour se diversifier.

4.10 DEUXIÈME VALIDATION: LA DOUBLE DESCRIPTION

Selon l'idée de G. Bateson [33], lorsqu'on dispose de deux descriptions différentes d'une même réalité, leur confrontation donne naissance à une troisième d'ordre logique supérieur. En effet, les différences sont porteuses d'informations que les descriptions originelles ne contiennent pas et elles renseignent sur un ordre qui n'y est pas représentable. L'exemple immédiat est la vision binoculaire où la perception du relief s'élabore par comparaison d'images planes de la même scène vue sous deux angles différents. Exactement comme dans la coexistence de phases, on découvre cet arrangement tout particulier fait de deux structures différentes et dont le contact implique l'existence d'une troisième hiérarchiquement supérieure puisqu'elle compte les structures originelles comme éléments: il faut conclure que *double description et coexistence de phase sont des constructions identiques*; elles devraient par conséquent présenter des propriétés systémiques identiques. A nouveau, il est possible de dresser un parallèle et il réussit jusque dans les détails (tab. 82). Cet isomorphisme constitue d'abord une validation sérieuse de la modélisation par la coexistence de phases mais il ouvre de plus la voie à des applications étendues dans le domaine du comportement mental.

TABLEAU 82 Systèmes physiques et systèmes mentaux.

Systèmes en coexistence de phases selon le paradigme	**Systèmes à double description selon G. Bateson**
Aspects structuraux	
Paire de structures d'une même substance séparées par une frontière et en équilibre l'une avec l'autre.	Paire de descriptions différentes d'une même réalité et en contact l'une avec l'autre.
Etablissement d'un invariant, ou norme, superstructure englobant les structures en équilibre: création de hiérarchie.	Etablissement d'une troisième description, dite norme, de niveau logique supérieur: création de hiérarchie.
Autodétermination	
La norme ne dépend que des structures du système. Elle est indépendante des échanges avec le milieu; elle est réglée vis-à-vis des autres contraintes externes.	La norme est autodéterminée, c'est-à-dire ne dépend que des descriptions en contact sans référence aux déterminants externes.
L'invariance se maintient par conversion d'éléments d'une structure à l'autre; sous contraintes externes changeantes, la frontière est libre de se mouvoir n'importe où dans le système et l'idendité des éléments échangés n'est pas prévisible.	Application aux comportements comme systèmes d'actions: la norme institue un cadre pour le comportement sans définir les actions particulières qui forment son contenu; elles ne sont pas connues à l'avance.
La norme apparaît spontanément dans un domaine de l'espace des paramètres. Elle est indépendante de la production à l'extérieur et reste en particulier insensible aux réponses du milieu.	Le comportement apparaît spontanément quand les conditions adéquates sont remplies. Il n'obéit pas à la règle de renforcement par conditionnement externe; il n'est pas répété pour ses chances de succès ou d'échec; il n'est pas nécessairement adaptatif et peut être maintenu même s'il ne confère pas de valeur de survie (par exemple accoutumance).
Lorsque les normes sont multiples, leur valeur dépend d'influences extérieures sélectionnées par le système. Elles n'ont pas de lien logique nécessaire, mais elles sont indissociables.	Les actions sont sélectionnées cas par cas selon les circonstances externes du moment. Des comportements peuvent être contradictoires et indissociables.
Résilience	
La résilience de la norme est proportionnée aux dimensions du système et, en général, à sa complexité.	La résilience de la norme est proportionnée à la dimension du système et à sa complexité (par exemple justifications idéologiques superposées au comportement).

Les comportements relationnels

En effet, entre les mains de Bateson, la double description s'est montrée une idée très féconde car elle s'applique à tous les comportements relationnels où deux individus ou groupes interagissent en confrontant leurs vues respectives: par exemple, la relation entretenue par deux personnes est le produit de la double description, au même titre que le relief est le produit de la double vision. Dans la perspective de la modélisation par coexistence de phases, on discerne que la superstructure est la *règle* commune que chaque partenaire accepte: il consent à assumer de bonne foi un rôle autorisant l'autre à jouer de bonne foi le rôle complémentaire. De cette façon, il y a *échange* constant d'éléments sous la forme de comportements qui renseignent sur l'état d'esprit et les intentions de chacun. Le renforcement mutuel s'entretient à l'intéreur du système, qu'il produise ou non des effets à l'extérieur: la relation est *autovalidée*. Elle peut prendre des formes évoluées comme la relation symétrique entre rivaux ou la relation complémentaire entre dépendant et nourricier, maître et esclave, enseignant et enseigné, etc.; il faut y ajouter les comportements contextuels complexes où le partenaire est un système plus grand, voire la nature elle-même ou, du moins, l'idée qu'on s'en fait: le jeu et le sport, la criminalité, la schizophrénie, l'exploration, l'alpinisme, le totémisme et les conduites rituelles, etc. Tout le monde sait que ces comportements sont à la fois autodéterminés et autovalidés, et qu'il sont doués d'une résilience telle qu'ils engendrent facilement des habitudes invétérées.

Comparaison n'est pas raison

Enfin et pour suivre Bateson jusqu'au bout, toute comparaison réussie a l'allure d'une double description, donc la modélisation elle-même et tous les isomorphismes: dans ces constructions mentales, deux objets différents paraissent régis par les mêmes règles abstraites. Cette conjoncture exerce une séduction irrésistible sur l'esprit humain, car l'ordre commun s'érige littéralement en un *deus ex machina* qui unifie l'univers et sanctionne toutes les associations dont l'esprit est capable: toutes les métaphores, paraboles et allégories, tout l'art, toute la science et toute la religion.

Malheureusement, la généralisation est abusive pour au moins deux raisons que la physique fait immédiatement ressortir: premièrement, l'ordre commun est visible dans les deux structures d'un isomorphisme, alors qu'il n'est pas contenu dans les structures qui viennent en contact dans la coexistence de phase; deuxièmement, mettre deux structures plus ou moins isomorphes en contact ne mène jamais à une coexistence de phases, sauf bien sûr si les compositions sont assez voisines pour que des éléments puissent être *échangés*. En termes formels, deux descriptions peuvent bien révéler un ordre caché si elles décrivent le même objet; la découverte d'un ordre manifeste dans deux descriptions n'implique pas qu'un objet unique existe qui a été décrit deux fois! Au contraire, les objets de la modélisation sont par hypothèse irréductiblement différents, et le fait qu'ils tombent sous des règles communes peut être vu comme un mystère, mais il a ses limites: il faut les reconnaître si l'on ne veut risquer un réductionnisme abusif. Modélisation et isomorphisme sont ce qu'ils sont: *des constats de ressemblance entre des représentations mentales,* constats que l'on peut tenter d'étendre aussi loin que possible. S'ils vont plus loin que ce l'on attendait de prime abord, ils enrichissent la connaissance. Cela ne prouve pas que l'univers est ordonné de même façon à divers niveaux, mais cela prouve que ni l'univers ni le contenu de notre esprit ne sont quelconques: les propriétés d'universalité que l'on a vues pour l'acquisition d'ordre suffisent amplement pour justifier l'existence des isomorphismes partiels dans l'univers et dans l'esprit; elles justifient aussi l'emploi de la modélisation comme méthode qui suggère le plausible dans une réalité mal connue par comparaison avec le certain dans une réalité mieux connue.

4.11 INTRODUCTION À LA SYSTÉMANTIQUE

Peut-être l'aspect le plus piquant de la modélisation par coexistence de phases est le fait qu'elle rend compte d'une des étrangetés les moins comprises du monde des systèmes créés par l'homme: même soigneusement conçu pour exécuter une fonction et une seule, un système développe bientôt des buts annexes imprévus qui parfois l'accaparent entièrement. Le modèle fournit la raison: les éléments qu'il faut réunir pour cette fonction peuvent entrer dans plusieurs classifications qui conduisent à des normes multiples, indissociables quoique sans lien logique.

L'exemple simple que tout le monde connaît bien est l'entreprise qui réunit les gens et les moyens nécessaires en vue de telle production de masse. Au début, elle a bien un objectif unique mais les connexions possibles se multiplient vite: tout devient matière à norme, le comportement des participants aussi bien que les politiques menées à l'extérieur. La croissance aidant, le système se transforme bientôt en une «organisation»: elle tend à promouvoir des objectifs de plus en plus explicites dans le domaine social, politique et même culturel, alors que la production elle-même est reléguée au statut de moyen [34]. Mais, par ailleurs, les intérêts disparates des gens et l'inertie des choses se conjugueront sûrement pour établir des normes indissociables de la production mais sans rapport du tout avec elle. Elles toucheront par exemple le costume et les croyances des gens, ou même elles contreviendront franchement à la production, comme ces perversités drôlatiques immortalisées sous les noms de «Lois de Parkinson», «Loi de Murphy» [35] ou «Principe de Peter» [36]. Reconnues d'abord dans les administrations, ces perversités affectent tous les systèmes créés par l'homme, comme en témoignent la récente histoire industrielle et cette utopie moderne qui veut que la technique exauce tous les désirs. Le réalisme est plutôt du côté de ce traité hilarant réunissant les *Axiomes, Théorèmes et Corollaires de la Science des Systèmes* et intitulé «Systemantics» [37]: en anglais, «antics» signifie bouffonneries, et quelques-unes sont reportées dans le tableau 83.

On trouve un exemple flagrant de normes contradictoires même dans la recherche fondamentale: le but allégué et reconnu est la *libre investigation*, mais la «gestion par projets» s'immisce inexorablement dès que les institutions grandissent. Ce genre de gestion contredit manifestement le but puisqu'elle exige d'annoncer les intentions auxquelles les chercheurs proposent de se lier; et en supplément s'ajoute ce travail exorbitant consistant à préparer les nouveaux projets et à justifier les anciens qui ne se sont pas déroulés comme prévu. Quant à la recherche originale, elle a encore besoin de rêve et d'espaces libres: elle se concocte hors projets, quand ils en laissent le temps.

TABLEAU 83

Postulats, théorèmes et corollaires de la systémantique.

Postulats fondamentaux

1. Toute chose constitue un système.
2. Toute chose fait partie d'un plus grand système.
3. L'univers est indéfiniment divisible en systèmes, vers le haut comme vers le bas.
4. Tous les systèmes sont infiniment complexes, l'illusion de simplicité provenant du petit nombre de variables prises en compte.

Exemples de théorèmes et corollaires

Comportements de métastabilité

Lois de croissance: les systèmes tendent à croître jusqu'à remplir l'univers; ils s'incrustent et ils empiètent.

Spécialisation et vulnérabilité: un système continue à faire ce qu'il fait quels que soient les besoins ou les variations du contexte. Les systèmes efficaces sont dangereux pour les autres et pour eux-mêmes.

Comportements de coexistence de phase

Autonomie et buts multiples: les systèmes peuvent fonctionner ou non. Ils tendent à s'opposer à leur fonctionnement normal. Ils rendent coup pour coup. Ils se donnent leurs propres buts qui priment tous les autres.

Impossibilité de prédire: le comportement global des systèmes est imprédictible. Les variables cruciales sont découvertes par accident. Les grands systèmes opèrent généralement dans les modes de défaillance qui ne peuvent être prédits à partir de leur structure. Un système qui s'est agrandi à partir d'un petit système ne se comporte pas comme lui. Connecter entre eux des systèmes qui marchent peut entraîner une défaillance générale.

4.12 COEXISTENCE DE PHASES DÉSORDONNÉE ET PATHOLOGIE

Tandis que la coexistence de phases modélise la stabilisation et la maturité adaptées au contexte, la version désordonnée de la coexistence modélise la fixation du système devenu insensible aux changements du contexte. Cet échec évolutif constitue une pathologie grave puisque le système est ramené au niveau de l'automate isolé.

Critères de modélisation

Selon la physique, la coexistence de phases désordonnée se présente dans les systèmes métastables, soit où la portée du couplage entre éléments est longue et maintient la croissance; en outre, il faut que des forces aléatoires s'exercent de l'extérieur avec assez d'intensité pour interférer avec le couplage, auquel cas la structure se désorganise et la croissance s'arrête. Sont donc concernés les systèmes complexes *en cours de croissance:* des individus ou des groupes qui s'agrandissent en dimensions ou en pouvoir seront particulièrement susceptibles; les forces aléatoires peuvent prendre la forme de dangers inconnus ou imprévisibles, de menaces incohérentes ou d'injonctions contradictoires.

L'échec évolutif isole le système

Comme modèle de l'effet des forces aléatoires, la coexistence de phases désordonnée associe clairement le désordre interne avec la fermeture aux autres influences extérieures: les comportements d'adaptation et de complexification par l'extérieur sont alors suspendus. Dans cette situation, on doit s'attendre à l'apparition de comportements spontanés qui n'ont plus de relation identifiable avec les événements extérieurs: *le système se comporte comme s'il était isolé.* On est donc renvoyé aux comportements *en évolution libre* où l'instabilité est déterminante à elle seule (§ 3.2-4): les comportements peuvent ainsi être liés à un attracteur fixe et on les verra par conséquent répétés sans égard aux circonstances, ou bien ils peuvent être liés à un attracteur étrange et ils auront l'apparence de variations chaotiques sur un thème particulier. Enfin, le modèle explique que ces comportements sont dysfonctionnels et enclins à éluder l'intervention extérieure.

Applications aux systèmes humains

L'application est évidente dans le domaine de la pathologie mentale: les turbulences peintes par Van Gogh témoignent sans ambages des comportements chaotiques qui agitent l'esprit fou (§ 3.4). Plus près de la vie quotidienne, on sait que le névrosé est assujetti à ses façons d'agir improductives et que, livré aux idées fixes, le psychotique perd le contact avec la réalité; mais on sait aussi que ces pathologies s'expriment dans des réseaux de communications tout aussi improductives et inadaptées. Le monde socio-économique est également fertile en pathologies de toutes sortes: lorsque les enjeux sont importants, les lois de Parkinson et de Murphy (§ 4.11) s'appliquent en provoquant des désordres paralysants; il en va de même pour la pauvreté de masse qui infeste le Tiers-Monde et qui décourage les initiatives les mieux intentionnées. Deux de ces exemples sont repris dans le texte parallèle aux fins de validation du modèle de coexistence de phases désordonnée (§ 4.13). Le lecteur constatera non seulement que la modélisation joue dans les détails, mais qu'elle confirme non sans éclat une hypothèse de base du paradigme: puisque les systèmes humains se montrent très sensibles aux forces aléatoires, l'hypothèse que les bifurcations sont prépondérantes dans l'évolution s'avère applicable même aux systèmes très complexes.

4.13 TROISIÈME VALIDATION: L'ÉQUILIBRE DES SYMPTÔMES

Dans les systèmes complexes, certaines normes peuvent être contradictoires sans que le fonctionnement ne soit nécessairement compromis. Dénigrée ou ignorée, la contradiction ne saurait passer pour pathologique, et une hiérarchisation supplémentaire suffit à la résoudre. Il n'en va pas de même lorsque l'évolution s'arrête prématurément: le système se fixe dans un état globalement dysfonctionnel et si stable que l'intervention extérieure est problématique. Les deux exemples qui suivent illustrent ce blocage évolutif qui défie tant le traitement que la prévention.

Les transactions psychotiques

On parle de groupe à transactions psychotiques [38] depuis que l'on sait décripter le *symptôme psychotique* comme une forme de communication au sein d'un groupe social fermé sur lui-même et devenu dysfonctionnel: un de ses membres, désigné comme «malade», est porteur d'un symptôme incapacitant auquel le groupe consacre l'essentiel de ses activités. Dans cette perspective de communication, on découvre que le symptôme contient *deux messages contradictoires*, l'un revendiquant l'autonomie du porteur par rapport au groupe, l'autre attestant sa dépendance; ces significations restent toutefois masquées car elles sont entremêlées dans des idées délirantes, des hallucinations ou d'autres manèges déclinant la responsabilité: la communication est dite paradoxale. De leur côté, les autres membres du groupe se servent aussi de communications paradoxales, mais en toute impunité puisqu'ils n'agissent que pour prendre soin du «malade». L'ensemble du groupe se caractérise de surcroît par une *organisation interne déficiente* où les rôles et les fonctions restent flous: l'exemple notoire est l'ignorance des frontières entre générations. L'observateur non averti constate alors que les incidents incompréhensibles se succèdent et, même bien intentionnées, ses interventions ne font qu'accroître la confusion. Le traitement de telles situations est affaire de spécialiste et il s'avère souvent problématique.

La pauvreté est un vice au niveau social

Une situation très semblable, et tout aussi problématique, a été reconnue par l'économiste J.K. Galbraith dans son livre *Théorie de la pauvreté de masse* [39]. Typiquement, le pauvre affirme vouloir lutter contre la misère mais l'énormité de la tâche le désoriente aussitôt; ses initiatives sont incoordonnées et elles se dissolvent dans l'indifférence du monde qui l'entoure. Ce mélange *de velléités et d'abandons* consitue le symptôme; il est porté par une classe particulière mais, en réalité, la société entière coopère à cette accommodation à la pauvreté. Par exemple, le pauvre est exploité cyniquement, le plus grand désordre règne dans l'utilisation des surplus éventuels, et les investissements sont ou bien détournés, ou bien disséminés dans l'espoir de répondre aux besoins les plus pressants. Ainsi, selon l'expression même de Galbraith, *l'équilibre de la pauvreté* se perpétue quelles que soient les mesures prises pour y remédier de l'extérieur.

Validation du modèle par contre-épreuve

Le lecteur pourra constater dans le tableau 84 que les deux situations décrites plus haut peuvent être simulées avec fidélité par la coexistence de phases désordonnée: à chaque fois, deux normes incompatibles sont observées simultanément sans qu'une hiérarchie se profile, le désordre est endémique et le système se trouve soustrait à l'influence extérieure. La modélisation trouve ici une validation décisive: la contre-épreuve est faite puisque les échecs évolutifs y trouvent interprétation aussi bien que les réussites. Qui plus est, cette contre-épreuve a la bonne grâce de confirmer une hypothèse clef de la modélisation. Il a fallu en effet supposer que les systèmes complexes évoluent majoritairement par bifurcations (§ 4.6, point 1), hypothèse à la vérité terriblement simplificatrice quand on la compare à la complexité des systèmes humains. Or, les deux exemples cités se distinguent par des états stables et complètement désordonnés, propriété que la physique a établie comme *signature du caractère unidimensionnel* où le seul changement concevable est la bifurcation. Nonobstant le contraste, une hypothèse très simple se trouve donc validée par des systèmes très complexes.

L'explication de la psychose par les communications a marqué un jalon dans l'histoire récente de l'épistémologie: elle est encore due à Bateson qui l'a formulée dans sa célèbre *théorie du double lien (double bind)*, elle-même parente de sa conception de la double description (§ 4.5). Le paradigme évolutionniste a l'avantage de montrer que cette théorie s'insère dans la perspective génétique de l'activité mentale: à la manière du système complexe, la pensée individuelle se développe par adaptation à l'environnement; il en ressort que cette pensée s'appuye sur le contexte relationnel et qu'elle est vulnérable lorsque ce contexte exerce des pressions incohérentes. Comme expliqué dans l'avant-propos à cet essai, c'est précisément dans une démarche thérapeutique que le paradigme a été initialement construit.

TABLEAU 84 Systèmes physiques et systèmes mentaux.

Systèmes en coexistence de phase désordonnée selon le paradigme	*Systèmes à transaction psychotique selon [38]*	*Phénomène de la pauvreté de masse selon [39]*
Paire de structures différentes en équilibre.	Paire de normes mutuellement exclusives: autonomie et hétéronomie.	Paire de normes mutuellement exclusives: combat contre et accommodation à la misère.
Exposition du système à des forces aléatoires de grande amplitude.	Exposition du système à des injonctions incompatibles dans un contexte de dépendance. Théorie du *double-bind* selon G. Bateson.	Exposition de la population à des besoins extrêmes.
Séparation des stuctures en petits domaines séparés au hasard; frontière non localisable.	Normes incompatibles manifestées au hasard, comportements paradoxaux (*symptôme*).	Alternance paradoxale de velléités et d'abandons (*symptôme*).
Etablissement d'un équilibre stable près du maximum de l'entropie de configuration; amortissement immédiat des fluctuations.	Etablissement d'un équilibre stable à désordre maximal; le groupe étouffe toute tentative de changement.	Etablissement de l'équilibre de la pauvreté; redistribution sauvage des surplus et des investissements.
L'état de désordre interne annule l'énergie d'interaction avec les champs extérieurs.	Le groupe se ferme à toute information extérieure touchant les comportements paradoxaux.	L'innovation par l'extérieur est exclue (machines en concurrence avec main-d'œuvre de coût dérisoire).
Les valeurs des normes multiples ne sont plus liées aux influences externes pertinentes.	Les comportements se manifestent sans discrimination ou en réponse à des signaux sans rapport avec la fonction.	Les conditions du marché n'influencent pas la production (réaction affaiblie des producteurs aux baisses de prix).
Les fonctions associées aux structures sont suspendues.	La productivité est médiocre.	La productivité est médiocre.
L'état de désordre persiste sous haut champ externe; l'ordre ne peut être restauré avant que les forces aléatoires soient réduites au-dessous d'un seuil critique.	Le symptôme est hautement résilient; le traitement consiste en une réorganisation complète du groupe.	L'état de pauvreté est résilient; le remède consiste à repérer et à protéger la minorité qui rejette l'accommodation («aider ceux qui s'aident»).

4.14 DE LA MÉTASTABILITÉ À LA COEXISTENCE DE PHASES

Dans les systèmes à bifurcations, métastabilité et coexistence de phases sont les deux régimes extrêmes: l'un ou l'autre sera effectif suivant que le système a des dimensions petites ou grandes comparées à la portée du couplage entre éléments. Cependant, dimensions et portée varient au cours du temps: ainsi la métastabilité tend à accroître les dimensions des classes d'éléments, tandis qu'en coexistence de phases, la hiérarchisation tend à étendre la portée car le couplage mutuel se généralise de chaque partenaire à la classe entière dont il fait partie. Quoique l'événement ne soit pas envisagé en physique, on entrevoit la possibilité qu'un système complexe passe spontanément d'un régime à l'autre. La modélisation peut donc s'élever d'un degré dans l'abstraction: le paradigme évolutionniste supposera que périodes de croissance et périodes de structuration se succèdent dans l'évolution. La discussion qui suit portera d'abord sur le passage de la métastabilité à la coexistence, puis le passage inverse; enfin l'alternance sera envisagée. Une validation d'ensemble terminera la construction en la comparant avec le développement par stades, notion bien établie en biologie et en psychologie.

Le processus de maturation

Le passage de la métastabilité à la coexistence de phases procède suivant le schéma suivant: en régime de métastabilité, le système fonctionne en entier à l'optimum de performance et il tend à s'accroître dans au moins l'une de ses dimensions; finalement celle-ci excède la portée du couplage et la métastabilité ne peut plus être maintenue. Dès lors, une coexistence de phase s'établit où un domaine se forme avec une structure différente, donc nécessairement moins performante. La fonction est alors servie par une part réduite du système et réglée selon une norme indépendante de l'extérieur: le système est ainsi stabilisé dans la dimension concernée. La valeur de la norme dépend de la deuxième structure, elle-même déterminée par la nature des éléments, mais la sélection naturelle finit par trancher si la valeur tombée est judicieuse. On conçoit que ce processus se répète pour la plupart des activités d'assimilation du système et que, s'il survit, la répétition finit par dégager le réglage soutenable à long terme. Le comportement spontané qui subsiste paraîtra donc parfaitement adapté tant que le contexte ne subit pas de modification majeure. On retrouve ainsi la tautologie de la survie du plus apte. Toutefois, contrairement au darwinisme, réserve est faite ici en faveur d'éventuelles originalités qui ne concernent guère la survie, comme le cou de la girafe. Quelques exemples de maturation sont discutés plus en détail dans le paragraphe 4.11.

La pensée logique

Enfin, au niveau mental, la maturation aboutit à une construction complexe particulièrement mobile: les représentations des objets peuvent se combiner suivant des règles indépendantes d'eux, telles que les lois de la logique formelle. Par exemple, dans l'activité scientifique, les concepts sont élaborés sur des durées parfois très longues; la propriété recherchée est que les règles logiques s'y appliquent en reproduisant exactement les rapports observés dans la réalité. Comment se déroule cette élaboration?

Comme on l'a vu (§ 3.5), la formation des concepts commence par la réduction, opération décrite comme la réunion d'éléments suffisamment ressemblants; ils forment l'extension initiale du concept qui croît ensuite par l'adjonction de nouveaux éléments. La croissance de l'extension a cependant une limite: il faut que le concept puisse se combiner utilement avec d'autres. On va constater que ce critère d'utilité conduit à la stabilisation de l'extension par coexistence de phases; de plus, c'est au cours même de cette stabilisation que les lois logiques prennent forme. On peut donc les considérer comme les *règles architecturales* propres aux constructions mentales, au même titre que les colonies de fourmis obéissent à des règles architecturales propres à l'espèce (§ 4.11).

Pour le voir, il faut considérer plusieurs niveaux hiérarchiques superposés: le premier est celui du *concept* qui regroupe les éléments formant l'extension; le deuxième est celui de la *règle* qui regroupe les combinaisons dans lesquelles entrent les concepts. Ces règles ne sont pas quelconques: seules sont dignes d'être retenues celles qui se trouvent vérifiées dans la réalité quels que soient les concepts combinés. Cette invariance commune les rend utiles, mais elle agit aussi comme une interaction attractive; elle peut donc réunir les règles en un système au troisième et dernier niveau: *c'est la logique formelle, dont la norme faîtière est la cohérence.*

L'extension est ajustée

Une fois cet édifice établi, il n'y a plus que *le bas de la hiérarchie* qui puisse garantir l'utilité, c'est-à-dire garantir que tout usage conforme aux règles aboutisse au résultat correct. Comme on l'a déjà mentionné, la partie ajustable est l'extension des concepts, et elle est donc ajustée à satisfaction: les éléments frauduleux sont ainsi retirés et d'autres y sont rangés au fur et à mesure de leur découverte, la *frontière* entre l'admis et le rejeté se mouvant de façon que les lois ne soient jamais en défaut. On reconnaît que cette description comporte tous les ingrédients caractéristiques d'une coexistence de phase: structures d'éléments admis et d'éléments non admis, frontière mouvante, superstructure; cette dernière est même à trois niveaux, chacun isomorphe au précédant. Les propriétés de la coexistence de phases sont aussi toutes présentes: l'invariance et la résilience des lois logiques ne sont jamais mises en question. En sciences exactes et en mathématiques, invariance et résilience sont en fait érigées en *principes absolus,* renversement de l'inductif au déductif qui garantit le succès de toutes les prédictions lorsque les concepts ont atteint leur maturité. Ce renversement serait impossible si le monde physique n'était pas doué de cohérence, propriété immanente qui exclut la contradiction entre les choses (§ 1.2).

Le concept d'espèce

L'exemple le plus familier est le concept d'espèce en zoologie: d'abord fondé sur des ressemblances plus ou moins superficielles entre animaux, il s'est précisé lorsqu'une loi de combinaison a été retenue, à savoir le critère observable de reproduction. Pour les classifications supérieures en genres, ordres, etc., il n'y a pas de critères observables, et ceux que l'on retient sont de pure commodité, par exemple les critères de parcimonie qui dictent d'envisager le minimum possible de caractères distinctifs.

Le concept de théorie

Il en va de même des théories scientifiques, dont la survie semble soumise à des règles de sélection qui rappellent celles de la sélection naturelle. Là aussi, les premiers critères sont la cohérence interne et la conformité aux faits d'expérience connus; ces critères ont le pouvoir de trancher si une théorie est juste ou fausse, mais ils ne suffisent pas si les faits sont rares: on compte encore sept critères, eux-mêmes retenus sur la base d'une longue expérience avec les théories réfutées par les faits découverts plus tard [40]. Ces critères comprennent le nombre de faits expliqués, la généralité, la parcimonie et la consonance avec les théories déjà établies; viennent ensuite, ô surprise, les critères chers au cœur de tous les scientifiques, l'esthétique et la symétrie; la liste se termine par la prédiction d'une nouveauté sanctionnée par l'expérience.

En revanche, dans les disciplines appelées couramment sciences humaines, la sélection des théories n'a plus du tout la même rigueur. C'est qu'au départ les réalités auxquelles elles s'adressent sont faites de systèmes complexes: les normes peuvent donc être multiples, sans lien logique nécessaire, et par suite *non cohérentes*. Du point de vue du paradigme évolutionniste, ces réalités ne présentent pas la cohérence immanente dont les sciences exactes tirent leur sûreté. Les sciences humaines revêtent donc un statut particulier qui est discuté dans le texte parallèle (§ 4.16).

La conceptualisation entraîne l'optimisation

La pensée logique crée des concepts non seulement pour désigner économiquement les objets d'intérêt (par exemple, «le chat chasse les souris»), mais surtout pour reproduire et prévoir le réel (par exemple, «quand le chat est loin, les souris dansent»): l'appareil conceptuel est utile car il est *optimisé* en vue d'une reproduction de la réalité *aussi fidèle que nécessaire*. Finalement, l'image mentale et le réel se trouvent en symétrie miroir partielle, aussi poussée que l'utilité le demande et perfectible chaque fois que le besoin s'en fait sentir.

Le parallèle est maintenant évident: à la manière d'un système complexe formé d'éléments, un concept prend naissance à partir d'interactions entre les représentations mentales qui forment son extension initiale; ensuite, il évolue de façon à optimiser l'utilité, c'est-à-dire que l'extension s'ajuste de sorte que l'emploi selon les règles satisfait pratiquement toujours les critères de véracité en vigueur.

Conclusions

La propriété la plus complexe de l'esprit humain est sans doute sa capacité d'opérer des transformations logiques sur des concepts de tous niveaux d'abstraction. Or la modélisation par les instabilités se trouve capable de la reproduire comme propriété naturelle d'un système assez complexe dans un environnement assez riche. Elle établit sur un plan symbolique ce qui est inaccessible sur le plan formel, à savoir que le fonctionnement logique de l'esprit est vraisemblablement basé sur l'autoréférence. En tout cas, cette base est nécessaire et suffisante pour que la logique formelle se construise par contact avec un contexte cohérent. Un fondement scientifique est par conséquent donné à l'idée que l'activité logique de l'esprit peut entièrement dériver du métabolisme du cerveau.

4.15 LE BASSIN D'ÉVOLUTION

Sous la pression de l'expérience, les idées sur l'évolution tendent à faire une place toujours plus grande aux variations entre individus d'une même espèce: le génome contient surtout de l'information générale et les détails se règlent au fur et à mesure du développement. En présentant la maturation comme une coexistence de phases succédant à la croissance, le paradigme évolutionniste rend bien compte de la variabilité observée.

La maturation du nid de fourmis

Par exemple, la façon dont la coexistence de phases s'établit après la croissance est facile à voir avec le nid de fourmis et elle donne même lieu à une double hiérarchisation. En effet, lorsque la colonie a crû suffisamment, l'activité d'assimilation qui comprend le transport de matériaux marque le contexte en l'altérant de façon irréversible. Des vallées se creusent progressivement autour des cheminements et constituent bientôt tout un bassin d'évolution et le nid s'y stabilise avec les aménagements requis par les fonctions vitales: caches de nourriture, chambres pour le levain, etc. Cette emprise sur le contexte est spécifique de l'espèce d'insectes et elle dénote l'équilibre particulier que l'espèce est capable d'atteindre avec les accidents du terrain colonisé. Visiblement, l'équilibre est atteint par le biais d'*échanges imprévisibles* où des matériaux sont définitivement retranchés des zones friables du terrain, puis apportés dans les zones de construction choisies. Toutes les caractéristiques voulues sont donc présentes pour que ces échanges assurent une coexistence de phases entre régions intactes et régions construites, et la *norme* qui se bâtit sur ces échanges est l'architecture particulière du nid dans le terrain en cours de colonisation. Comme on l'a mentionné, l'adaptation réalise un optimum, mais il ne représente que l'un des encodages possibles du terrain colonisé, et c'est une subtile modulation *à la fois fidèle au contexte local et conforme aux mœurs de l'espèce*: cette modulation particulière est l'un des éléments d'une grande classe abstraite dont la *norme faîtière* constitue les règles architecturales de l'espèce. On peut le présumer, celles-ci se trouvent respectées non parce qu'elles seraient codées dans le génome, mais comme conséquences systémiques: elles résultent bien d'interactions programmées entre individus, mais ce sont des conséquences lointaines, et atteintes seulement après dues croissance et maturation de la colonie. On pourrait poursuivre en parlant des règles propres aux niveaux supérieurs de la classification zoologique; il suffit toutefois de constater ici que la coexistence de phases modélise commodément la variabilité des éléments classés dans les hiérarchies à plusieurs niveaux.

Evolution en géologie

Le creusement de vallées et de bassins pendant l'évolution est encore plus évident en géologie. L'érosion du sol fait partie d'un mécanisme à contre-réaction positive: l'eau gagne les points bas et creuse d'autant plus que ces points sont bas du fait que la vitesse acquise peut y être plus grande. A nouveau, l'instabilité résultante donne lieu à une évolution qui n'est pas unique, mais la norme est un relief final qui obéit à la règle architecturale, cette structure en arbre bien connue des bassins d'accumulation des fleuves.

Embryologie

Cependant, les termes de vallées et de bassins font également contact avec une évolution beaucoup plus complexe: selon la théorie avancée par le biologiste Waddington [41], l'évolution éclair observée au cours de l'embryogénèse n'est pas entièrement déterminée par le génôme; elle est seulement guidée par des «chréodes», du mot grec pour «vallées», qui indiquent les combinaisons les plus favorables que peuvent prendre les variables. Des variantes multiples sont donc possibles, même des erreurs qui ne seraient fatales que si la combinaison de variables est décidément hors du bassin d'évolution. On voit donc que la modélisation par les instabilités restitue les abstractions qui se sont imposées pour décrire l'évolution des êtres vivants.

4.16 LE STATUT DES SCIENCES HUMAINES

En faisant droit au genre de réalité à laquelle un système complexe s'adapte, le paradigme évolutionniste fait une distinction nette entre les sciences dites «humaines» et les sciences dites «exactes»: tandis que ces dernières s'adressent à une réalité que l'on sait cohérente par nature, les sciences humaines ont à décrire une réalité déjà édifiée par des systèmes complexes, imbriqués dans une hiérarchie à multiples niveaux, et dont elles font elles-mêmes partie. Or, la modélisation indique que cette réalité n'est pas nécessairement cohérente puisque les systèmes peuvent établir des normes multiples sans lien logique au sens formel. C'est donc, dans ces sciences, une gageure probablement perdante que de faire des théories à la fois *générales et logiques*, c'est-à-dire aboutissant à l'explication formelle et cohérente de tous les faits d'observation. Contrairement à ce que l'on fait en sciences exactes, il n'est pas toujours possible d'ériger l'invariance des lois en principe et d'inverser la démarche intellectuelle de l'inductif au déductif. Au lieu de théories axiomatiques, il faut se contenter de doctrines qui sont des compromis, parfois savants mais toujours singuliers: pour chaque concept utilisé, il faut redéfinir l'extension de façon que la logique soit sauve, contrainte incontournable puisque les doctrines s'adressent à l'esprit. Si, malgré la difficulté apparente, les doctrines foisonnent, parfois sans même se contredire, c'est que le processus d'équilibrage est fort souple: des nuances dans le couplage entre éléments changent à la fois structures et valeurs des normes. On a vu, par exemple, les normes culturelles changer rapidement et profondément avec l'apparition de la pilule contraceptive: elles s'avèrent donc très sensibles aux relations internes de cause à effet, dans ce cas modifiées par la technique; sans doute y sont-elles beaucoup plus sensibles qu'aux pressions restrictives exercées de l'extérieur par les institutions intéressées au problème.

L'utilité vaut pour le court terme

De plus, l'influence de l'optique utilitaire dans laquelle se développent les idées est loin d'être triviale; le plus souvent inconsciente, elle ne connaît que les pressions prépondérantes du moment et ignore l'intérêt à long terme: les physiciens eux-mêmes en ont fait l'expérience, et pourtant il leur est difficile d'imaginer qu'elle pût se répéter encore. Peut-être reconnaîtra-t-on que la modélisation peut apporter ici une indication utile: il est dans l'ordre des choses que les faits à retenir dans une représentation mentale dépendent de son but, but qui s'inscrit dans les circonstances culturelles intégrant toutes les représentations antérieures. Toutefois, ce rétrocouplage du savoir ancien sur le nouveau *particularise* la connaissance comme l'un des encodages possibles du réel, à la fois partiel et partial, de sorte que mêmes nos idées les plus objectives sont en flux continuel. Cet aspect mouvant de l'activité intellectuelle est spécialement visible en sciences humaines, domaine où le réel est souvent altéré par les intentions. Par exemple, «l'exploitation des pays pauvres» est sûrement un concept suranné et probablement trompeur, quand on le voit figurer dans une phrase étrange comme celle-ci: «Le malheur d'être exploité par des capitalistes n'est rien comparé au malheur de n'être pas exploité du tout»[39].

La théorie du système général

Ainsi en sciences humaines, la non-cohérence de la réalité se conjugue à la souplesse des systèmes conceptuels pour disqualifier la cohérence interne entre doctrines comme instrument de falsification. Il est clair qu'un critère qui a montré tant d'efficacité en sciences exactes ne devrait pas être abandonné en sciences humaines.

Cependant, et toujours d'après le paradigme, il ne peut être sauvegardé sans recourir à des moyens non formels, c'est-à-dire à une modélisation qui remonte au niveau où la cohérence préexiste dans la réalité observée. On connaît déjà des approches fructueuses qui sont de vraies modélisations. Par exemple, la psychologie génétique de Piaget [25] et l'économie évolutionniste de Boulding [42] sont fondées sur la biologie. Dans les deux cas, les perspectives théoriques se sont élargies et elles expliquent de manière cohérente un nombre considérable de faits auparavant isolés.

Il n'est donc pas étonnant que, malgré des décades de pratique, les sciences humaines se trouvent aujourd'hui à la recherche de modèles: dans bien des domaines allant de la gestion d'entreprise à l'éducation, les tentatives se multiplient en faisant appel à des théories unitaires telles que que la «Théorie du Système Général» [42a].

4.17 DE LA COEXISTENCE DE PHASES À LA MÉTASTABILITÉ

Après le passage de la métastabilité à la coexistence de phases, le paradigme envisage le retour à la métastabilité: l'ordre se complexifie par une nouvelle période de croissance qui s'achèvera à son tour par coexistence de phases et formation de normes supplémentaires.

Le processus de hiérarchisation

Les objets arrangés par ce processus sont les normes créées précédemment par coexistence de phases, normes qui sont déjà des entités abstraites et représentables par des symboles. Elles ont néanmoins des relations mutuelles d'affinité qui, en vertu des propriétés d'universalité de l'acquisition d'ordre, tendent à les ranger en classes comme les interactions le font pour les objets concrets. En conséquence, ces couplages de deuxième rang regroupent les normes par métastabilité, puis engendrent des supernormes par coexistence de phases. La répétition de ce processus est donc à même de créer des hiérarchies à plusieurs niveaux, primauté si caractéristique de la matière vivante. En outre, la diversité des coexistences de phases en physique amène une distinction bienvenue dans l'organisation des représentations mentales.

La voie logique

En effet, lorsqu'en physique les éléments sont tous identiques, la coexistence de phases produit une norme unique. Par analogie, si les objets mentaux forment des classes bien homogènes, la coexistence de phases donnera lieu à une seule norme par classe. Le processus de hiérarchisation aboutit naturellement à un système de classification

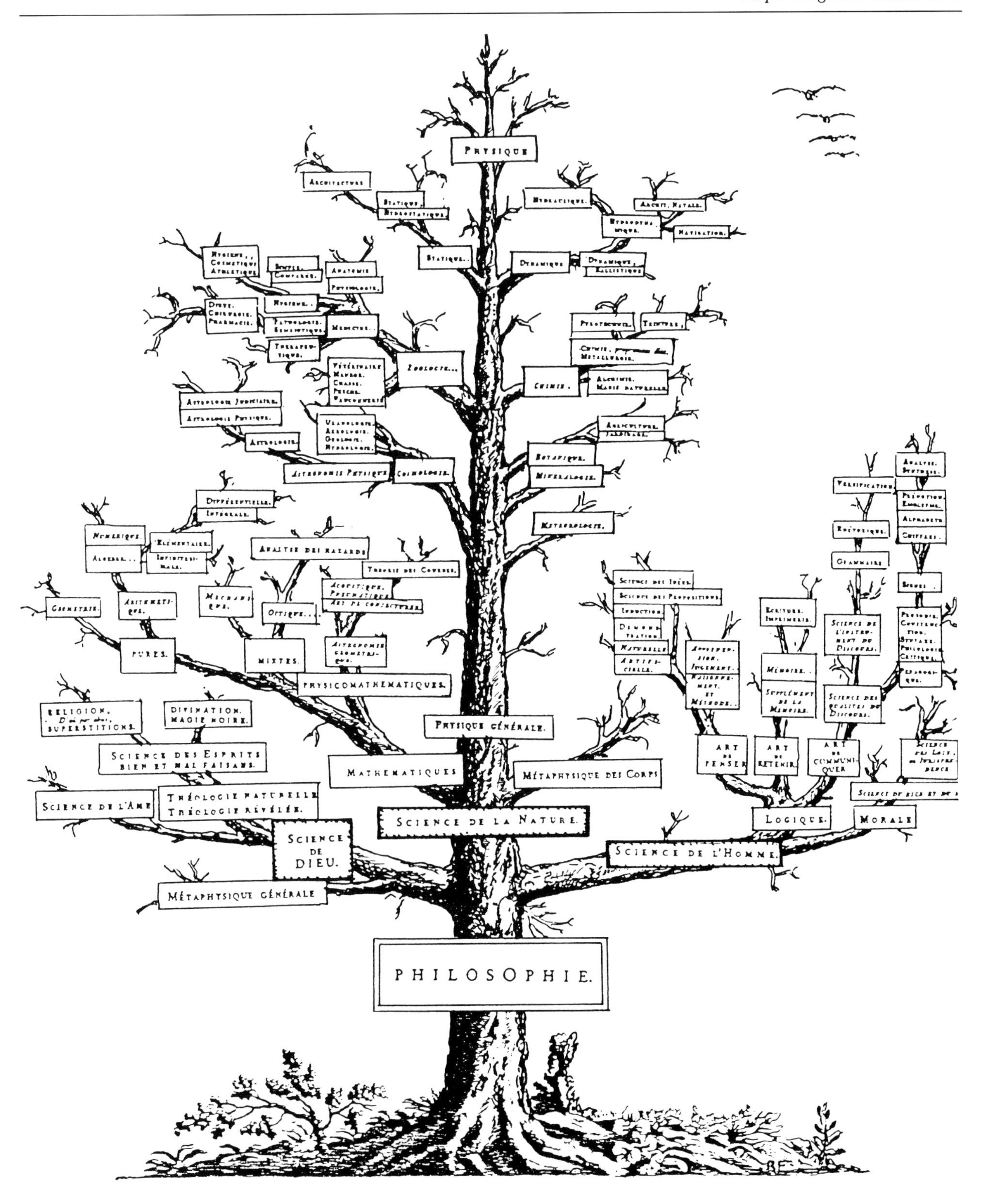

85. ***L'arbre de la connaissance.*** *Dessin de l'auteur d'après la classification de l'*Encyclopédie *de Diderot.*

pyramidal du type arbre généalogique, conception logique très ancienne. Les exemples immédiats comprennent la classification zoologique déjà citée, ou le «système raisonné des connaissances humaines» de l'*Encyclopédie* de Diderot (85).

La voie associative

En revanche, lorsqu'en physique les éléments de diverses espèces peuvent se combiner, la coexistence de phase produit des normes multiples. Si les objets mentaux diffèrent, l'analogie veut que la coexistence de phases établisse tout un jeu de normes indissociables (§ 4.9). Le corollaire est qu'une même sous-classe d'objets mentaux peut participer à plusieurs normes différentes, normes qui s'en trouvent liées par une interaction mutuelle supplémentaire et attractive: la sous-classe commune joue le rôle de *nœud d'association* automatique des diverses normes auxquelles elle participe. Le nœud réalise un véritable couplage à longue portée puisqu'il lie simultanément plusieurs normes, mais comme elles n'ont qu'une sous-classe commune parmi d'autres, il n'y a aucune raison qu'un lien logique existe entre elles. Pourtant un développement par métastabilité peut s'engager et se stabiliser sous l'égide de supernormes, qu'on appellera ici *normes extralogiques*.

Le résultat sera le greffage de *réseaux associatifs* stables sur les arbres logiques. Du point de vue du système, les normes extralogiques représentent des règles architecturales supplémentaires, et même si elles ne sont pas compatibles avec les règles logiques, elles lui paraissent tout aussi légitimes. Le système les affirmera donc comme autovalidées avec la même assurance, et seule la sélection externe pourra, si elle en a l'occasion, passer jugement quant à leur pertinence.

La pensée associative

Le lecteur aura sans doute reconnu dans cette éventualité cet autre fleuron de l'esprit humain, la *pensée associative*. On sait qu'elle a sa logique propre, que nul ne peut décrire précisément sauf pour dire qu'elle est spontanée et créative. Elle inspire les comportements d'assimilation ingénieux qui donnent l'avantage dans les situations de concurrence. Elle est à la base des raisonnements par analogie, souvent décriés mais les plus productifs même en sciences exactes. On peut la voir à l'œuvre dans les entreprises interdisciplinaires, dans le *brainstorming* et dans la modélisation. Elle est ainsi à la source de maintes originalités, dont l'exemple type est la découverte que le lecteur peut faire ici même: associations heureuses et contradictions vexantes vont naturellement de pair, car des systèmes assez complexes pour créer les unes sont condamnés à tolérer les autres.

L'imaginaire

Ainsi, la matière des idées qui reproduisent le réel dans un but de stricte adaptation se prête aussi bien à des constructions originales, voire fantaisistes: elles peuvent se distancer autant qu'on veut de ce réel, pourvu qu'elles ne donnent pas prise à la sélection naturelle. Cette menace justifie une certaine censure, sévère ou clémente suivant la culture et l'éducation, mais le plus souvent un *monde imaginaire* se développe tout aussi riche que le monde réel, peut-être plus aventureux, et sûrement plus intéressant pour la plupart des gens. Une part de ce monde imaginaire est commune à tous les humains, comme une part du monde physique est commune à tous les humains. La découverte de cet héritage commun est riche d'émotions, à témoin le rôle que jouent les archétypes dans la psychologie jungienne, et chacun recherche avidement les témoignages de la vie imaginaire tant elle imprègne l'expérience la plus intime. Aujourd'hui plus encore qu'hier, le romanesque et le fantastique fleurissent sans que la moindre question soit posée quant à leur bien-fondé: l'autovalidation est reine. Enfin, l'art n'a pas à se justifier: quel que soit son objet, il est avant tout conception mentale du monde, et c'est le privilège des artistes que de transposer sans condition leur version dans les objets concrets qu'ils choisissent.

L'imaginaire n'est pas innocent

La pensée associative produit aussi beaucoup d'excentricités qui ne se révèlent comme telles qu'après qu'elles aient déployé tous leurs effets. Ils peuvent être considérables car normes logiques et normes extralogiques constituent des structures en réseaux croisés qui sont très stables. On l'a vu, la stabilité détient un pouvoir de réorganisation irrésistible, et d'autant plus que la vision est plus globale: l'histoire est jalonnée de révolutions propulsées par des idéologies, mais reconnues comme telles seulement après que les cendres sont retombées. Un exemple moderne de croisement de réseaux est l'envahissement des sciences par l'informatique, brièvement discuté dans le paragraphe 4.18.

Conclusions

Bien que simples modèles fondés sur la physique, métastabilité et coexistence de phases peuvent être agencées de façon à reproduire en principe les structures les plus perfectionnées de la pensée humaine: il est possible de construire des arbres et des réseaux hiérarchisés; en outre, et non sans surprise, on peut distinguer les variantes logique et associative de la pensée simplement en se référant à l'unicité ou la multiplicité des normes maintenues par coexistence de phases. Ce résultat montre que la simulation du complexe par le simple est plus féconde que ce que l'on pourrait attendre d'un point de vue purement rationnel.

4.18 OÙ MÈNERA L'INFORMATIQUE?

Un exemple concret de croisement de réseaux se déroule actuellement sous nos yeux: c'est le fantastique renouveau de toutes les sciences, exactes ou non, qui recourent à l'informatique. En leur permettant de traiter tout ce qui est numérotable, elle s'est effectivement constituée en un *nœud* qui contraint toutes ces sciences aux mêmes standards de formalisation, d'exactitude et de rapidité; en contrepartie elle les enrichit en transférant les méthodes par-dessus les frontières traditionnelles. Par là, l'informatique nivelle le développement de toutes les disciplines sans aucun égard pour leurs structures et objectifs propres. Dans les sciences exactes, elle s'est bornée à bonifier les rendements sans toucher beaucoup aux buts et aux méthodes. En revanche, dans les domaines social et économique, l'informatique a profondément remanié les méthodes et elle a mis à portée des objectifs traditionnellement considérés comme inaccessibles. Par exemple, ne serait-ce que par ses applications en télécommunications, l'informatique est en train d'allonger sans limite les couplages entre les sociétés: d'après le paradigme, elle annonce la réorganisation planétaire de ces sociétés, réelle innovation prônée par Einstein qui avait fait rire les politiciens des années cinquante. Par ailleurs, l'informatique autorise les contrôles les plus extravagants sur les mouvements des gens et des choses, chimère que la culture démocratique tentait de renier. L'impact de l'informatique sur la vie communautaire est à vrai dire absolument imprévisible, sa valeur de survie est problématique et déjà bien des voix se sont élevées pour en dénoncer les risques.

Même dans les branches techniques, le brassage est à proprement parler prodigieux, telle l'invasion des microprocesseurs, et parfois délirant: la course aux «technologies» accouche ou de gadgets insignifiants ou d'armes totales: personne ne saurait dire ce que cette frénésie laissera de salutaire dans dix ans. Il y a une exception, l'informatique elle-même, où les concurrents s'affrontent en intelligence artificielle; le défi est justement la reproduction de la pensée associative jusqu'ici rebelle aux algorithmes, et la présente modélisation en éclaircit la raison: cette pensée repose sur la formation de normes, elle-même rebelle aux systèmes formels. Peut-être faudrait-il passer par la simulation numérique de coexistences de phases en grand nombre, et qui occuperont de grands ordinateurs couplés en grand nombre; si tout va pour le mieux, l'ordre public pourrait bien se faire par-dessus les sempiternelles dissensions que les hommes entretiennent entre eux. Vraisemblablement, les théorèmes de la systémantique nous protègeront encore quelque temps de ces complexités, mais, avec les circuits neuronaux, les premiers pas ont déjà été faits [37a].

4.19 LE DÉVELOPPEMENT PAR STADES

La modélisation par les bifurcations est non seulement capable de simuler les variantes clefs de la pensée humaine, mais elle peut aussi expliquer que cette pensée *se développe spontanément* vers l'abstraction et la hiérarchisation à multiples niveaux. Si l'on admet que cette structuration spontanée affecte la majeure partie de la pensée, des perspectives nouvelles se dégagent concernant la problématique de l'objectivité et de la subjectivité.

Métastabilité et coexistence alternent

En effet, les régimes de métastabilité et de stabilisation peuvent alterner *à condition que la portée du couplage entre éléments s'accroisse:* d'une part, le nombre d'éléments régis par les normes d'un premier stade augmente et, d'autre part, la plus grande portée met ces normes en interaction. Celles-ci vont donc s'organiser sous l'égide de normes supérieures constituant le stade de développement suivant, et il est concevable que la hiérarchisation par stades successifs se poursuive tant que la portée des couplages s'allonge. La psychologie génétique [25] en offre une illustration parfaite: le développement cognitif passe effectivement par plusieurs stades, dont les principaux sont les stades sensori-moteur, concret et formel, chacun composé de plusieurs sous-stades. Les stades se succèdent par de courtes périodes de transition au cours desquelles les concepts se généralisent pour se stabiliser à un niveau d'abstraction plus élevé. La séquence des stades et sous-stades ne dépend pratiquement pas de la culture et du niveau socio-culturel; elle est même indépendante de l'espèce puisqu'on la retrouve inchangée dans le stade sensori-moteur du chimpanzé.

Cette quasi-universalité est très frappante mais, dans la présente modélisation, elle devient intelligible à partir d'une simple hypothèse sur la portée des couplages: il faut que cette portée s'allonge pendant la maturation du cerveau, c'est-à-dire que chaque neurone se connecte à un *nombre* croissant de partenaires. Or, on sait que chez l'homme [9], les interconnexions par synapses prolifèrent par vagues successives pour atteindre des dizaines de milliers au stade adulte (86). A chaque étape, une stabilisation sélective favorise certaines synapses aux dépens d'autres suivant l'expérience de l'individu. Ainsi, le cerveau humain représente un réseau d'interconnexions dont la densité défie l'imagination, mais la structure finalement atteinte est variable, porteuse qu'elle est de l'empreinte culturelle laissée par l'expérience individuelle.

L'alternance est spontanée

La hiérarchisation progressive peut même se poursuivre au niveau des objets mentaux, c'est-à-dire sans que la structure physiologique y

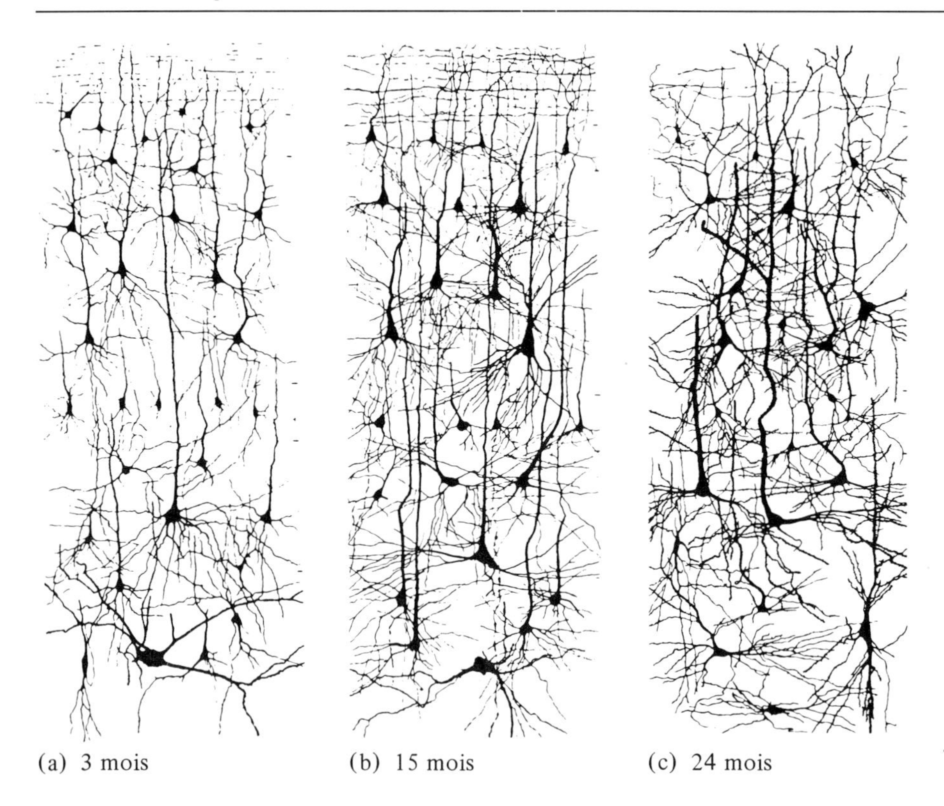

86. ***Croissance dentritique.*** *D'après Ramon y Casal. Les interconnexions entre neurones se multiplient par vagues successives au cours de l'ontogénèse et font du cerveau humain le système le plus complexe connu.*

participe. En effet, coexistence de phases et métastabilité modifient le système mental de telle sorte que les régimes *s'engendrent l'un l'autre:* en accroissant les dimensions des classes d'éléments, la métastabilité débouche sur la coexistence, alors que celle-ci étend les couplages entre classes et restaure les conditions de la métastabilité. Parcourue plusieurs fois, cette boucle mène à la construction d'édifices conceptuels à niveaux multiples, et le nombre de ces niveaux ne paraît pas avoir de limite: il ne fait aucun doute que l'activité intellectuelle continue à organiser le contenu de la conscience tout au long de la vie, alors que le cerveau ne présente plus de changements décelables chez l'adulte.

Il ne s'agit tout de même pas d'un mécanisme complètement automatisé: il est crucial que l'environnement offre au bon moment les ressources variées que réclame la formation des structures. D'ailleurs, l'alternance n'est pas nécessairement franche: les deux régimes sont ici différenciés pour les besoins de l'explication. En réalité, ils sont complémentaires à la manière dont assimilation et accommodation sont complémentaires dans l'adaptation, tous deux actifs mais l'un dominant de façon plus ou moins reconnaissable. On conçoit que l'histoire et les circonstances détermineront le régime dominant et qu'il est impossible de prédire ce que seront les structures mentales ainsi construites. La dernière généralité que le paradigme peut encore avancer porte sur la fidélité des connaissances représentées dans ces structures.

L'origine de l'ordre est parfois indécidable

On l'a vu dans l'exemple du nid de fourmis: si de nouveaux cheminements s'instaurent par accommodation au contexte, aussitôt l'assimilation prend place et tend à les stabiliser dans les dispositions propres à l'espèce. De la répétition de cette alternance est issue l'architecture momentanée du nid: elle constitue bien un encodage particulier du contexte, mais il reflète les nécessités externes et internes inextricablement mêlées. En effet, il est à la fois plus simple que le contexte qu'il ne reproduit qu'en partie, et plus complexe puisque les règles de l'espèce s'y inscrivent; mais une fois l'opération terminée, il n'est plus possible de discerner si tel élément de symétrie répond à des nécessités externes ou internes. La contre-expérience est ici indispensable: la nécessité externe n'est établie que si l'on peut provoquer un changement externe qui fasse disparaître l'élément en question. Par exemple, si une fourmi philosophe observe des perturbations périodiques dans la géométrie du nid, elle ne peut trancher si elles sont imputables à des obstacles tels que piquets régulièrement plantés ou si elles satisfont simplement aux instincts de l'espèce; la réponse ne peut venir que si la colonie quitte la région plantée, contre-expérience qui, dans le cas particulier, n'est pas à portée de l'observateur.

La problématique de l'objectivité

Si l'on admet que le savoir est aussi une adaptation réalisée par un système complexe, il faut conclure qu'il est fait de représentations qui ont des rapports équivoques avec le réel: d'un côté, elles sont plus simples que le réel, car seules les variables perceptibles sont prises en compte, et il se peut bien qu'en partie ce réel reste à jamais «voilé» selon le mot de D'Espagnat [43]; de l'autre côté, les représentations mentales sont aussi plus complexes que ce qui est effectivement transmis par les sens: un ordre est toujours rajouté au cours de la perception, ordre qui dépend de l'observateur et de son histoire personnelle. On comprend ainsi toute l'importance du laboratoire scientifique où peuvent se faire à volonté les contre-expériences nécessaires, et le caractère nécessairement public des connaissances qui les épure de la subjectivité des chercheurs: c'est le prix qui garantit le mieux l'objectivité dans les sciences exactes. Ce prix est bien sûr reconnu en philosophie des sciences, mais le paradigme a l'avantage de montrer qu'il est directement lié au mode de construction du savoir; il montre aussi que la garantie n'est pas absolue: le savoir reste une culture partiellement autovalidée (§ 6.2).

La problématique de la subjectivité

On peut de même comprendre que les connaissances soient relativement plus fragiles lorsque l'expérimentation est impraticable. Même la physique a manqué de base objective pour définir ses variables fondamentales, problème qui a causé plusieurs révisions déchirantes. Ce genre d'incertitude semble en revanche affecter la plupart des allégations de la culture non scientifique: par exemple, il se peut que théologies et métaphysiques ne répondent finalement qu'à des besoins internes de l'espèce humaine. Vues tout au moins dans la perspective historique, ces doctrines ont surtout servi à justifier les structures sociales en vigueur bien qu'elles aient invariablement invoqué des rapports fondamentaux avec le monde extérieur. Ces rapports peuvent passer pour douteux. Les ethnologues en tout cas l'affirment pour les religions dites primitives en les qualifiant d'animismes ou de totémismes, mais la différence d'avec les religions modernes n'est guère substantielle. La question n'est au fond pas décidable puisque la contre-expérience est impossible: il n'est plus en notre pouvoir d'expérimenter un monde sans divinité après l'avoir postulée comme primordiale!

On peut tout de même se rappeler que l'esprit humain tend spontanément à trancher l'incertitude en faveur de l'intervention extérieure: la projection des représentations mentales sur le cosmos est l'acte religieux par excellence, idée qui s'était déjà imposée lorsqu'on examinait l'art sacré (§ 2.5) et le «terrible besoin de religion» de Van Gogh (§ 3.6). Cette propension à la projection semble aller de pair avec le phénomène de la conscience: l'introspection nous explique notre comportement, et c'est grâce à la projection de ce savoir que nous nous expliquons les comportements d'autrui qui, autrement, resteraient incompréhensibles. Par conséquent, la projection a une valeur adaptative cruciale pour l'être social que nous sommes et, comme toutes les fonctions adaptatives essentielles, elle se trouve soustraite au contrôle volontaire [44]. Il faut donc présumer que *l'homme personnifie spontanément les réalités extérieures* tant qu'elles éludent l'explication rationnelle. On peut noter à ce propos que si une fonction a les effets adaptatifs attendus dans son champ d'application, elle peut avoir des effets parasites imprévus hors de ce champ; dans le cas particulier, la projection spontanée qui nous explique le comportement d'autrui nous réduit à expliquer l'irrationnel par l'action divine. Puisque l'irrationnel précède toujours le rationnel, on comprend pourquoi la divinité est posée comme primordiale dans pratiquement toutes les cultures connues.

On peut trouver un autre indice que les systèmes religieux ou moraux s'adressent surtout aux besoins internes: comme ces besoins eux-mêmes, ils n'évoluent que très peu. La comparaison avec les activités plus remuantes telles que sciences et techniques est souvent citée, et cette lenteur est blâmée comme s'il s'agissait d'une carence de l'esprit que la volonté pourrait corriger. Le fait est que si ces besoins internes existent, ils doivent se rattacher à la structure fondamentale du système mental qui est immuable pour autant qu'on sache. Il ne serait donc pas étonnant que l'essentiel en matière de religion, et peut-être de philosophie, ait déjà été dit; au contraire, le savoir scientifique se développe car il s'adresse à des contraintes externes en perpétuel devenir.

4.20 CONCLUSIONS

Basé sur l'idée centrale des bifurcations, le paradigme évolutionniste utilise des mécanismes physiques qui mêlent l'expansion et la hiérarchisation; il montre que ces mécanismes simples peuvent entretenir la complexification continue des systèmes exposés à un environnement suffisamment riche. Il offre ainsi une explication de principe du fait que l'adaptation produit des aptitudes et il donne une justification physique à la tautologie darwinienne de la survie du plus apte. Enfin, l'explication de principe s'étend au niveau mental, où pensée logique et pensée associative ouvrent des perspectives de développement apparemment illimitées.

Par le rôle crucial qu'il attribue à la richesse de l'environnement, le paradigme suggère que si l'évolution humaine s'est ralentie sensiblement dans l'ère moderne, c'est peut-être qu'il y a une limite aux variations que l'environnement terrestre peut offrir à lui seul. En revanche, le développement mental qui a maintenant pris la relève de l'évolution a un avenir assuré: il est à même de produire lui-même les instruments d'observation qui étendent sans cesse le contexte disponible pour l'adaptation.

Le principal résultat du paradigme évolutionniste est donc de rendre la complexité de l'esprit intelligible: en bonne part tout au moins, cette complexité se présente comme l'effet d'accumulation d'événements simples et fréquents. La part éventuelle d'événements complexes et rares fera l'objet du chapitre suivant sur la dynamique qui entretient la complexification.

5 LA DYNAMIQUE

Le jour où l'on parviendra à comprendre la vie
comme une fonction de la matière inerte,
ce sera pour découvrir que celle-ci possède des propriétés
bien différentes de celles qu'on lui attribuait.

CLAUDE LÉVY-STRAUSS, La pensée sauvage

5.1 INTRODUCTION

Après l'étude détaillée du comment de l'ordre vient la question du pourquoi: pourquoi l'ordre se fait-il, dans quelles circonstances l'acquisition de l'ordre est-elle spontanée, finalement quelles circonstances faudrait-il réunir pour que la complexification se poursuive d'elle-même? Pour ce qui est de la physique, l'essentiel a déjà été dit dans l'introduction de ce livre, et l'objet de ce chapitre est de transposer ces idées par modélisation pour aboutir aux questions cruciales qui concernent la matière vivante et l'esprit: pourquoi ces ordres si complexes, pourquoi cette préoccupation si répandue et si intense de produire sans cesse de l'ordre, pourquoi, au sommet de la pyramide, l'homme s'entête-t-il à créer des œuvres d'art, à faire de la science?

5.2 LA CROISSANCE DE L'ENTROPIE

Le deuxième principe

L'argument physique commence avec le fait qu'en faisant constamment collision entre elles, les particules d'un système isolé tendent à se disperser les unes les autres, de sorte que l'évolution spontanée ne peut aller que dans le sens d'un désordre accru (§ 2.3).

Mais un moment vient où l'effet se sature: les collisions ultérieures ne changent plus rien de reconnaissable puisque le désordre est déjà le plus grand qu'il peut être; le système est alors dans un *état d'équilibre* et toute évolution globale cesse. L'exemple le plus simple est celui où, de l'extérieur, on augmente brusquement le volume disponible pour un gaz; alors le gaz évolue spontanément de façon à occuper *uniformément* tout le volume offert. On apprend en mécanique statistique que c'est dans cet état d'uniformité que les molécules peuvent avoir le plus d'arrangements distincts; comme tous les arrangements sont *a priori* équiprobables, cet état a la plus grande probabilité totale. Le nombre des arrangements possibles est donc une grandeur utile; son logarithme, appelé *entropie,* donne une représentation numérique du désordre (87). On peut donc prédire que l'état finalement observé sera celui qui a l'entropie la plus grande car, étant réalisé plus souvent que tout autre, il déterminera majoritairement les mesures physiques. Le deuxième principe de la thermodynamique affirme justement cette maximalisation. Subsidiairement, il affirme que si l'on modifie brusquement les conditions externes, le système est momentanément mis hors équilibre mais que, laissé à lui-même, il va se rendre spontanément à l'état d'entropie maximale dans les nouvelles conditions. C'est cet ensemble d'affirmations que l'on entend par l'adage bien connu: «l'entropie augmente toujours».

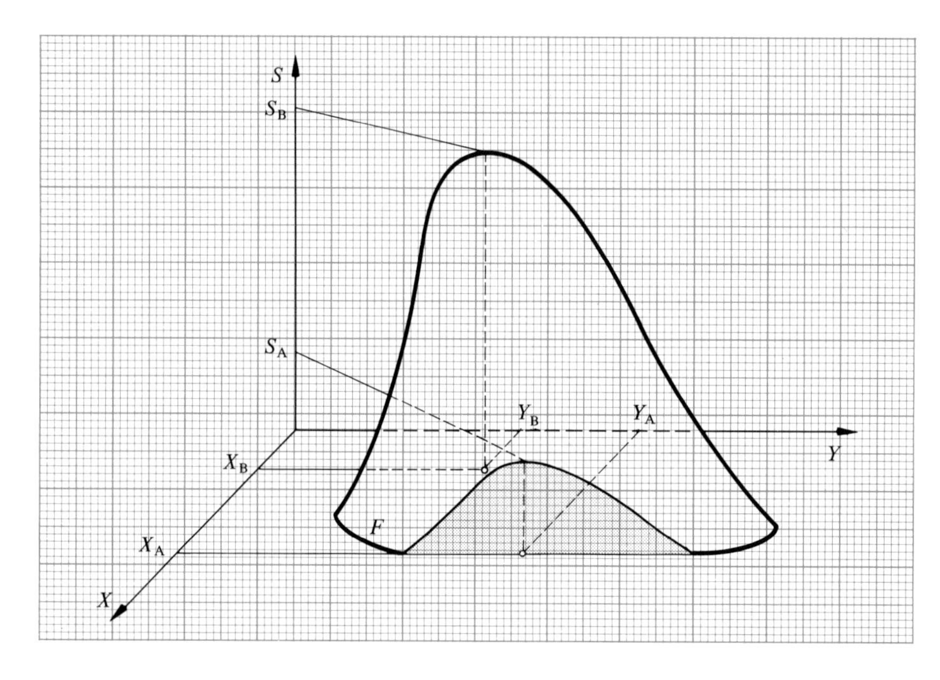

87. ***Entropie dans un système à deux variables globales.*** *En vertu du deuxième principe de la thermodynamique, l'entropie S a un maximum absolu dans l'espace des deux variables X et Y: elle a nécessairement un relief en forme de pain de sucre. Si l'une des variables est fixée par les contraintes extérieures, par exemple* $X = X_A$*, le système se place spontanément dans l'état d'équilibre A, où l'entropie S prend la valeur maximum* S_A *le long de la ligne* $X = X_A$*, soit où l'autre variable a la valeur* $Y = Y_A$*. Si les contraintes sont subitement levées, le système se transforme de façon que S devienne maximal dans le plan X, Y: les variables tendent vers les valeurs* $X = X_B$*,* $Y = Y_B$ *qui spécifient le nouvel état d'équilibre B où l'entropie a son maximum absolu* S_B*. Dans ces conditions, l'entropie s'est accrue de sorte que la transformation de A vers B est spontanée et irréversible. Les systèmes réels ont plusieurs variables globales du type X et Y, et l'entropie y a un relief multidimensionnel composé de nombreux sommets; les transformations spontanées consistent à passer d'un sommet bas à un sommet plus élevé, la hauteur des sommets variant suivant les conditions extérieures comme illustré en (88).*

Le test de l'équilibre

Le deuxième principe constitue en vérité une *loi d'évolution* pour tous les systèmes qui connaissent des états d'équilibre. On l'a donc érigée en principe, mais il faut se rendre compte que seuls sont concernés les systèmes où ces états existent effectivement. Si surprenant que cela puisse paraître, la loi ne se réfère qu'aux états où l'évolution s'est définitivement accomplie: la théorie est si générale qu'elle ne prédit que l'état final; le chemin emprunté reste quant à lui indéterminé dans cette théorie car il dépend des particularités du système.

Le deuxième principe n'est pas toujours applicable

Le principe n'est donc pas totalement général. Il ne saurait bien sûr s'appliquer aux systèmes non stationnaires, comme le panache de fumée, ni aux systèmes en permanence hors équilibre, comme les systèmes vivants. Pour les autres systèmes, l'application requiert des précautions qui sont souvent oubliées. Par exemple, on a vu la loi d'évolution appliquée à l'univers pour conclure qu'il serait inexorablement voué au désordre le plus complet; dans ce chaos informe, rien d'intéressant ne pourrait plus se produire et ce serait la «mort thermique». Or, on ne sait pas si l'univers est isolé, mais on sait qu'il n'est pas à l'équilibre et on n'est pas certain du tout qu'il aille vers un tel état [45]. On a également vu des applications à l'économie annonçant un avenir dépouillé de ressources et saturé de déchets [46]; de nouveau, le système économique n'est pas à l'équilibre et il est fait de systèmes complexes en réarrangement constant. Si l'avenir de ce système est à certains égards peu réjouissant, il ne relève sûrement pas des fatalités du deuxième principe.

L'ordre à l'équilibre

Il faut donc toujours s'assurer que l'équilibre existe en vérifiant que le système ne montre aucune évolution tant qu'on le laisse à lui-même. Si tel est le cas, la loi d'évolution s'applique à toutes les transformations que l'on a l'intention de déclencher de l'extérieur, et elle s'avère très puissante puisqu'elle permet de prédire les états finaux même s'ils sont partiellement ordonnés. Par exemple, elle prédit que lorsqu'il existe des forces attractives, la matière qui se refroidit tend à s'ordonner en domaines hétérogènes, comme on on l'a vu au paragraphe 2.3 avec la cristallisation et la formation des protéines.

L'intrusion de l'ordre par le biais d'un principe affirmant la maximalisation du désordre peut sembler curieuse, mais on peut argumenter que l'ordre s'installe à la faveur du principe de la conservation de l'énergie. En effet, l'énergie est une grandeur abstraite qui peut revêtir diverses formes physiques: cette diversité offre de nouvelles perspectives à la maximalisation. Ainsi, l'énergie potentielle des forces attractives est libérée par la mise en ordre mais, en se transformant en chaleur, cette énergie devient mobile; elle peut alors gagner un environnement plus froid et y accroître le désordre. Le désordre global y gagne à cause de la différence de température: pour la même énergie échangée, l'extérieur froid reçoit une entropie plus grande

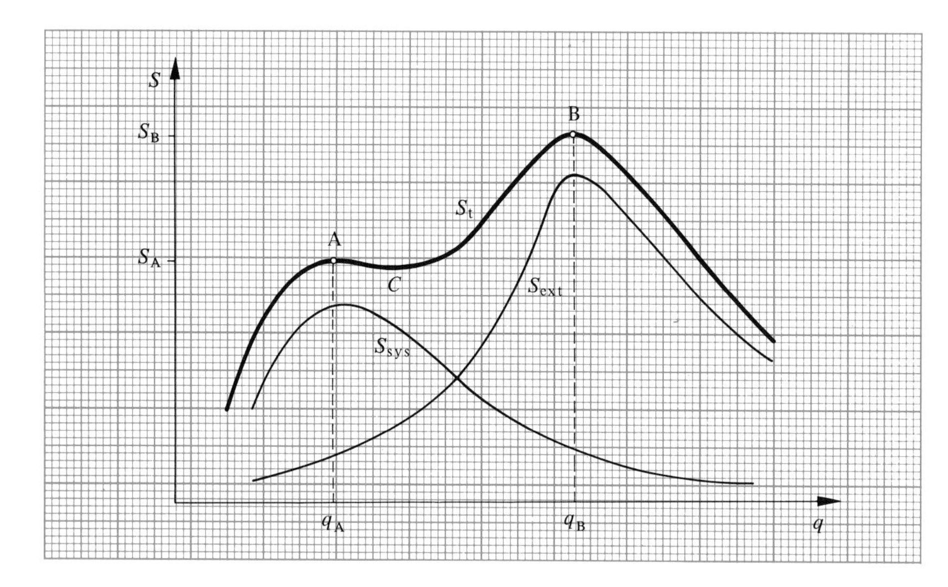

88. ***Diagramme de l'entropie au seuil d'une transition spontanée:*** *le système s'ordonne en faisant passer le paramètre d'ordre de la valeur q_A à la valeur q_B et son entropie S_{sys} décroît. En revanche, l'entropie S_{ext} de l'environnement croît du fait qu'il reçoit la chaleur libérée par les liaisons qui se contruisent dans le système. La forme de la courbe S_{ext} varie avec le champ extérieur, lequel atteint sa valeur critique lorsque le minimum C s'efface: la transition de A à B s'enclenche alors spontanément, le paramètre d'ordre tendant vers la valeur q_B qui maximalise l'entropie totale $S_t = S_{sys} + S_{ext}$.*

que l'entropie perdue par le système chaud qui s'ordonne. Contrairement à l'énergie, l'entropie ne se conserve pas; elle est plus grande quand la température est basse car le nombre d'arrangements possibles pour cette énergie est plus grand dans l'espace des vitesses. Dans ces conditions, l'acquisition de l'ordre est spontanée (88).

Le flux d'entropie comme révélateur de l'ordre

L'acquisition d'ordre dans un système localisé exige donc qu'il soit en contact avec un environnement capable de recueillir de la chaleur sans que la température y monte appréciablement. En termes formels de la physique, l'entropie soustraite par l'arrangement interne doit pouvoir diffuser dans un thermostat extérieur; on parle ainsi de *flux d'entropie* vers l'environnement, flux qui représente à la fois le moteur et la conséquence de l'acquisition de l'ordre. Le deuxième principe identifie donc ce flux comme la grandeur signant l'évolution d'un système vers l'ordre. L'intérêt de cette grandeur est qu'elle est mesurable à l'extérieur du système. Elle sera donc très utile pour modéliser des systèmes vivants qui sont inaccessibles de l'extérieur sans dommages.

5.3 LA PRODUCTION ACCÉLÉRÉE D'ENTROPIE

La biosphère est hors équilibre

Les systèmes vivants qui participent à l'évolution à la surface de la Terre ne sont pas des systèmes isolés et il ne sont pas à l'équilibre. Ils ont effectivement des fonctions à remplir, ne serait-ce que de se reproduire, et ils ont besoin d'interactions permanentes avec l'environnement pour y puiser des ressources et y rejeter produits et déchets. Ils sont de ce fait soumis à de nombreux champs extérieurs qui les maintiennent hors équilibre, et ils ne passent jamais par des états où l'on pourrait évaluer l'entropie. En conséquence, ils échappent aux conclusions pessimistes tirées de la thermodynamique de l'équilibre.

A la réflexion, cela est hors de doute puisque l'évolution n'a cessé, à notre connaissance, d'engendrer des systèmes de plus en plus complexes et producteurs, sans pour autant que le désordre global n'ait crû de façon démontrable à la surface de la Terre. Les écosystèmes sont au contraire restés stables de très longues périodes, tout au moins jusqu'à ce que les activités humaines deviennent dominantes; cette stabilité est incompatible avec l'accroissement continu que le deuxième principe exigerait pour l'entropie de la biosphère. Il faut donc la considérer comme un grand système hors équilibre: il est traversé par un flux d'énergie intense et l'entropie produite est rejetée dans l'espace par radiation thermique, ce qui prévient toute accumulation.

La loi de l'évolution hors équilibre

L'hypothèse de l'équilibre n'est donc pas appropriée lorsqu'il s'agit de modéliser des êtres vivants et des écosystèmes. Le passage aux systèmes hors équilibre rend toutefois la tâche beaucoup plus ardue comme le montre le texte parallèle (§ 5.4). Le lecteur en retiendra que le paradigme évolutionniste représente valablement au moins les tendances dominantes de l'évolution dans un grand ensemble de systèmes hors équilibre. Il en ressort une règle générale, non totalement contraignante, mais qui fonde l'orientation préférentielle et irréversible vers la complexification; elle s'énonce comme suit: *sauf exceptions liées aux carences éventuelles de l'environnement, les systèmes complexes évoluent le plus souvent de façon à maximaliser la vitesse à laquelle ils produisent de l'entropie dans l'environnement; les carences de l'environnement sont d'autant plus rares qu'il est lui-même plus peuplé de systèmes complexes en interaction.*

Cet énoncé joue pour les systèmes hors équilibre le même rôle que le deuxième principe de la thermodynamique joue pour les systèmes à l'équilibre. Comme annoncé, il n'en a ni la simplicité ni la généralité, mais il confirme le rôle prédominant que doit jouer l'entropie dans la dynamique de l'évolution: la description du désordre est unique, indépendante du contenu, alors que celle de l'ordre est bien sûr multiple et spécifique de ce contenu. On devait donc s'attendre à ce rôle prédominant puisque que si une règle générale existe, elle ne peut s'exprimer que par le biais de la grandeur la plus générale, ici le désordre.

Près ou loin de l'équilibre, le résultat reste toutefois de nature statistique. Sachant que les régulations se multiplient avec la complexité, il faut prévoir que les événements se succèdent à un rythme beaucoup plus lent que les collisions dans un système physique simple; les fluctuations seront donc très visibles dans les ensembles de systèmes complexes et l'effet statistique ne se vérifiera peut-être que sur des durées longues à notre échelle, voire des durées géologiques.

Le flux d'entropie est révélateur de l'ordre

Pour conclure, on notera que près ou loin de l'équilibre, les systèmes complexes sont susceptibles de s'ordonner spontanément, et que *l'entropie émise* garde le double rôle de moteur et de conséquence de l'acquisition de l'ordre: toute transition sous contrainte donne lieu à l'émission, mais le système hors équilibre continue à émettre tant que la structure acquise fonctionne. Dans tous les cas, le flux d'entropie reçu dans l'environnement peut donc servir de *test externe pour détecter les variations de l'ordre interne* d'un système complexe.

5.4 LA DYNAMIQUE LOIN DE L'ÉQUILIBRE

Tout d'abord, le problème hors équilibre est difficile; il n'a été étudié que dans des systèmes physiques peu nombreux et les réponses générales sont fort rares. Ainsi, les systèmes dynamiques à plusieurs degrés de liberté ne sont pas toujours solubles, et les comportements connus ne sont généralement pas stationnaires et souvent chaotiques: la dynamique quadratique en a offert quelques exemples.

Par contre, on sait par la théorie des catastrophes [26] que des solutions stationnaires existent en variété finie lorsque le nombre des paramètres est assez bas. Ainsi, la dynamique cubique à une variable a deux classes de solutions stationnaires: elles correspondent aux deux structures différentes entre lesquelles les changements procèdent par bifurcations; on a vu qu'au prix d'hypothèses statistiques adéquates qui portent *aussi* sur l'environnement, des prédictions indépendantes de la nature du système sont possibles, et à ce titre elles sont générales et comparables avec celles de la thermodynamique de l'équilibre. La théorie des catastrophes prédit aussi le nombre de classes de solutions pour plus de deux paramètres: les changements entre classes deviennent compliqués et, à part les exemples que Thom lui-même a imaginés en linguistique, ils ont à ce jour défié l'application. A partir de six paramètres, le nombre de classes est infini.

On est donc tenu d'admettre que les comportements des systèmes complexes ne sont pas prévisibles à défaut de connaissances détaillées – et peut-être inaccessibles –

de tous les éléments et interactions qui constituent ces systèmes. Si l'on se contente de prédictions générales, il faut alors admettre qu'elles ne prennent en compte que les changements les plus simples, apparemment trop simples pour être représentatifs de systèmes complexes. C'est cependant à ce point que se place *l'argument statistique* que l'on a déjà utilisé pour la construction du paradigme (§ 4.6): une part de la complexité, que l'on sait maintenant significative, provient de l'accumulation d'un très grand nombre d'événements simples; or dans la mesure où l'environnement varie *indépendamment* du système modélisé, on peut conclure que ces changements dominent l'évolution. En effet, la structure de ce système ne peut changer que si les paramètres extérieurs se trouvent dans une plage de valeurs adéquate, plage qui est délimitée par le système lui-même; par conséquent, il dicte ses conditions au contexte. Si le système n'a aucun contrôle sur l'environnement, les paramètres prennent des configurations variées qui ont tous les caractères de l'aléatoire; il est clair que la fréquence des conjonctions favorables va diminuer rapidement avec leur nombre. Il en résulte que les changements les plus simples sont statistiquement les plus nombreux; leurs particularités émergeront donc naturellement comme *tendances dominantes* et observables après un très grand nombre d'événements. On conclut qu'en contact avec un environnement indépendant, un système complexe évolue le plus souvent par simples bifurcations. Ainsi se trouve justifiée la première hypothèse posée pour la construction du paradigme (§ 4.6), hypothèse remarquablement confirmée par l'application à la pathologie (§ 4.13).

Les propriétés spécifiques des changements par bifurcations sont maintenant bien connues du lecteur: ou bien il s'agit de métastabilité et la dynamique est régie par l'accroissement du taux de production d'entropie; ou bien il s'agit de changements de phase, et la dynamique consiste à régler une variable sur une norme. Puisque ces derniers ne font que consolider les situations acquises en régime de métastabilité pour éventuellement retourner à ce régime au niveau d'organisation suivant, la dynamique de la métastabilité dominera l'évolution à long terme loin de l'équilibre. En conclusion, le système hors équilibre tend à développer des structures de plus en plus complexes, qui le dotent de fonctions de plus en plus *performantes*; la limite est fixée en dernier ressort par la portée des couplages entre les éléments qui le composent, ou entre les éléments abstraits qui s'y sont développés.

Il faut retenir cependant que cette dynamique ne persiste que si l'environnement lui-même satisfait des exigences générales: il doit être riche en ressources et il doit résister à l'emprise du système; pour ce faire, il doit en absorber les produits sans broncher, y compris l'entropie qui est rejetée à un taux sans cesse croissant. La richesse et l'inertie sont le mieux garanties si l'environnement est lui-même fait de nombreux systèmes régis par des normes multiples et hiérarchisées. Ainsi la boucle se referme: *le système complexe évolue d'autant mieux qu'il est plus entouré de systèmes complexes et résilients.* La variété du contexte faisait l'objet de la deuxième hypothèse posée pour la construction du paradigme (§ 4.6); elle est visiblement satisfaite par l'environnement dans lequel se développent les êtres vivants.

5.5 L'ORDRE DANS LA MATIÈRE VIVANTE

Merveille et défi

L'organisation de la matière vivante est une merveille que l'intellect ne peut admirer qu'avec humilité, mais elle est aussi une énigme provocante pour l'esprit qui veut raison garder: l'explication finaliste est en tout cas irrecevable. Par contre, la tentation est grande d'expliquer l'évolution biologique comme l'accroissement spontané de l'ordre dans la biosphère puisqu'on peut voir, tout au bas de l'échelle, la matière dite inerte capable de s'organiser spontanément. Mieux, la plupart des combinaisons moléculaires de la matière vivante peuvent être reconstituées en laboratoire par le biais de procédés qui reviennent à gérer habilement l'environnement.

On a par conséquent argumenté que les formes primitives de la vie sont apparu spontanément dans la «soupe originelle» dans laquelle ont baigné les continents pendant des millions d'années après le refroidissement de la Terre. Mais le fait est que tous les essais de reproduire le phénomène en laboratoire ont échoué: les ordres réalisés restent obstinément rudimentaires comparés aux ordres à grande échelle que les êtres vivants produisent couramment avec les mêmes molécules. Un incident inconnu paraît indispensable: on a pensé à la présence de boues spéciales qui auraient catalysé les premiers ensembles de molécules capables de se différencier durablement du milieu [46a]; on a aussi pensé à une inoculation extra-terrestre [47], ce qui, bien sûr, ne résout en rien le problème de l'origine de la vie.

Il y a donc un épineux problème d'origine. Mais en plus il faut admettre que l'évolution s'est précipitée au fur et à mesure que les espèces se complexifiaient et, avec l'homme, la complexification semble sans limite. Il y a également ces évolutions éclairs qui se déroulent sous nos yeux: la répétition à grande allure de l'évolution animale dans chaque embryogénèse, l'adaptation au jour le jour des êtres vivants à leur environnement changeant et souvent hostile, enfin l'apprentissage que les êtres humains poursuivent à des niveaux de complexité parfois extrêmes.

Malgré tout ce qu'on peut dire de la spontanéité des acquisitions d'ordre dans le monde physique, on ne peut raisonnablement échapper à la discontinuité qui le sépare du monde vivant: une différence profonde subsiste en vertu de laquelle la matière vivante propage l'ordre hiérarchisé avec une vigueur qu'elle est vraiment seule à posséder. Où donc peut bien résider cette différence? Au vu des variétés innombrables des ordres réalisés, il est inconcevable qu'elle dépende spécifiquement de la complexité déjà acquise; de plus, l'explication de la complexité par la complexité est sans intérêt. S'il faut trouver une différence unique et générale, il faut la rechercher au niveau le plus général, c'est-à dire qu'elle doit faire intervenir les facteurs que tous ces ordres ont en commun. La dynamique n'en désigne qu'un seul: *l'émission de l'entropie* lors de leur acquisition.

Une loi d'évolution de l'ordre

On est ainsi amené à formuler la dernière hypothèse de cet ouvrage: *la matière vivante détient les moyens d'évaluer les flux d'entropie*. Effectivement, à supposer que de tels flux soient détectables, leur observation renseigne sur l'évolution de l'ordre dans le système, telle que l'occurrence d'un arrangement approprié aux circonstances. L'information est ensuite disponible pour promouvoir des processus d'acquisition d'ordre supplémentaires, par exemple pour abaisser les seuils d'enclenchement des fonctions à grand rejet ou pour mémoriser les nouvelles structures qui seront classifiées plus tard. Une boucle de rétroaction positive peut alors s'établir qui convertit la loi physique en une loi propre à la matière vivante: *la loi de croissance globale et illimitée du désordre débouche sur une loi de croissance locale et illimitée de l'ordre*.

Cette seconde loi est incontestablement observée dans la matière vivante! L'hypothèse qui y conduit à partir de la physique est assurément spéculative mais, si elle se vérifiait, elle aurait un retentissement majeur sur notre compréhension du monde. Il vaut donc la peine de discuter en détail du crédit qu'on peut lui accorder.

Divergence de la complexification

En premier lieu, la capacité d'organisation de la matière vivante devient définitivement compatible avec la thermodynamique, bien que celle-ci fasse de la production nette de désordre la fin dernière de toute évolution. L'argument est en tous points comparable à l'acquisition d'ordre par le jeu du deuxième principe: pour reprendre l'exemple de la cristallisation (§ 2.3), on a vu que ce jeu consolide toute fluctuation où l'énergie de liaison se fractionne et diffuse pour laisser l'ordre sur place; la raison acceptée est que le désordre global y gagne comme le veut la thermodynamique de l'équilibre. Le même argument commande que toute fluctuation amorçant le rétrocouplage proposé soit consolidée pour la raison que la production d'entropie est massivement accélérée: c'est effectivement la tendance que la thermodynamique loin de l'équilibre impose dans les conditions de validité du paradigme évolutionniste. Comme pour le cristal, il faut qu'une fluctuation initiale contrefasse momentanément la structure voulue; elle serait bien sûr passablement plus compliquée que celle qui amorce la cristallisation et elle serait donc bien plus rare. La complication n'est cependant pas infinie et, on l'a vu, la «soupe originelle» est supposée avoir eu beaucoup de temps pour trouver la combinaison adéquate; il se peut au demeurant qu'elle fût passablement plus simple que les combinaisons observées à notre époque: selon l'hypothèse, la complexification aurait divergé immédiatement, et il se peut qu'elle ait divergé longuement avant de produire des êtres qui laissent des traces durables.

En deuxième lieu, l'hypothèse que la matière vivante connaisse une boucle de réaction spéciale fait au moins justice de cette contradiction opiniâtre qui veut que la matière vivante obéit aux lois qui favorisent l'ordre sans dire pourquoi la matière ordinaire s'y soustrait. Mais, surtout, la complexification continue et irréversible devient intelligible en principe, et jusqu'à ses manifestations mentales les plus avancées.

Evaluer les flux d'entropie

Parmi bien d'autres, cette hypothèse soulève aussi une difficulté de principe: l'entropie est une grandeur abstraite qui n'est pas mesurable, mais seulement calculable. Elle partage ce statut avec bien d'autres concepts de la physique, le premier exemple étant l'énergie: il n'y a pas d'instruments de mesure, mais on calcule d'après une définition formelle qui combine plusieurs grandeurs mesurées séparément. Il faut donc bien s'attendre à ce que la sensibilité aux flux d'entropie passe par des opérations compliquées. De plus, les opérations d'évaluation sont internes au système vivant, et l'on n'a peu de chance d'y accéder de l'extérieur sans l'endommager.

L'unique exception, c'est l'esprit humain car il est doué de son pouvoir d'introspection, et la meilleure part de cet ouvrage est conçue pour suggérer la solution: l'effet le plus évident de l'acquisition d'ordre par l'esprit, effet toujours présent et essentiellement le même quel que soit l'ordre acquis, c'est *l'émotion,* définie comme réaction du système mental perceptible par les sens et la conscience.

L'émotion a une intensité et un signe

L'hypothèse que l'ordre de la matière vivante est régi par le flux d'entropie reçoit ainsi une première sanction: le flux trouve chez l'homme une manifestation consciente et observable par tout un chacun. Emotion et flux sont même de nature assez semblable pour être une mesure l'un de l'autre. Ils ont tous deux le caractère de grandeurs algébriques, avec intensité et signe; tous deux peuvent être momentanés ou persistants, et ni l'un ni l'autre ne porte la trace des événements particuliers qui les ont engendrés. Plus précisément, tout comme le système physique rejette un flux positif d'entropie quand il s'ordonne sous l'influence de champs extérieurs, le système mental ressent de l'émotion positive au moment où il acquiert une nouvelle représentation du contexte: plaisir de reconnaître, plaisir de comprendre. Inversement, tout comme le système physique admet un flux négatif d'entropie quand il se désordonne, le système mental ressent de l'émotion négative lorsque des représentations se défont: douleur du deuil, des désillusions. Enfin, tout comme le système physique fonctionne en produisant continûment de l'entropie, le système mental ressent une émotion positive modérée, mais durable tant qu'il se livre à l'action: agrément de bouger et de faire, ennui de l'oisiveté et de l'impuissance.

La «Schadenfreude»

Le lien proposé entre l'émotion et l'entropie a un autre aspect très familier, la «Schadenfreude». Personne ne peut se cacher les expériences émotionnelles intenses qui accompagnent la destruction de l'ordre: la jubilation quand le bouchon de champagne saute, quand le canon tonne, quand la violence éclate; et la rage quand notre corps ou nos biens sont atteints. On retrouve la sensibilité du système mental à la direction du flux de l'entropie: si le flux gagne l'extérieur, l'émotion est positive; s'il gagne l'intérieur, l'émotion est négative. Le même mécanisme fondamental ferait donc que *l'esprit est autant fasciné par l'ordre qu'il peut importer que par le désordre qu'il peut exporter:* il ressentirait le plaisir de détruire à l'extérieur aussi bien que celui de construire à l'intérieur et, à l'état pur, ces plaisirs seraient indiscernables l'un de l'autre.

Le lecteur appréciera le retentissement de cette conclusion sur les idées millénaires que l'on se fait sur le bien et le mal, ou sur les notions psychanalytiques de pulsion de vie et pulsion de mort. En tout état de cause, elle explique que l'homme soit si enclin à détruire ce qu'il n'arrive pas à dominer; la seule dissuasion crédible est la menace que le flux d'entropie se renverse et renvoie la destruction contre son auteur. Le moratoire de fait qui s'est établi quant à l'usage des armes atomiques et biologiques semble le confirmer: il se pourrait qu'en fourbissant des armes aux retombées incontrôlables, les scientifiques aient par inadvertance aboli la guerre totale.

L'esprit comme outil d'adaptation

Le résultat le plus spectaculaire de la correspondance entre entropie et émotion est de renouveler la dynamique de l'esprit. Dans cette nouvelle dynamique, le système mental n'est pas tellement sensible aux dépenses d'énergie, comme le donnent à penser les impressions de satiété ou de fatigue, ou la notion de *libido* que Freud assimilait à une énergie psychique; au contraire l'esprit est en priorité sensible aux flux d'entropie et il reste en éveil tant qu'ils circulent. Cette conception correspond bien à l'expérience courante; elle a de plus l'immense avantage de remonter à la fonction biologique du cerveau: l'esprit s'intéresse d'abord à *la cohérence avec le monde extérieur et à son rôle d'outil d'adaptation.* En effet, selon la physique, il ne peut y avoir d'entropie à rejeter que si un champ externe s'exerce sur le système, et le rejet est d'autant plus intense que la réponse au champ est vigoureuse. Par analogie, l'émotion ressentie par le système mental est d'autant plus vive que la représentation acquise contient plus de vérités extérieures. Ainsi s'expliquerait, par exemple, l'étrange passion du scientifique: plus le savoir est objectif, même remanié dans une théorie, meilleure est la satisfaction subjective. De leur côté, les artistes savent que leur plaisir réside dans la perception de réalités qui les dépassent, quitte à les exprimer dans leur perspective personnelle. Selon le mot de la nouvelliste Anne Brabance[48], «la séquence voluptueuse commence avec la plongée dans le réel», formule exemplaire qui décrit la création artistique comme condensation de vérités concrètes, symboliques et psychologiques.

Veiller sur les activités cognitives

La question demeure: comment l'activité intellectuelle peut-elle influencer l'expérience émotionnelle par le biais de flux d'entropie? Il n'est guère concevable que, comme en physique, l'influence se propage sous forme d'onde de chaleur. On sait que pensée discursive et raisonnement logique se construisent dans le cortex frontal, mais il s'avère que les lésions de cet organe entraînent aussi de graves perturbations émotionnelles. Or, la physiologie du cortex montre que les régions spécialisées dans la cognition sont étroitement mêlées à des régions qui communiquent avec le système hyptothalamo-limbique, lieu où s'élaborent les émotions [9]. Il est donc plausible que les centres émotionnels sont renseignés sur les activités cognitives. Il suffit d'envisager que les structures neuronales qui sous-tendent les objets mentaux se construisent et se détruisent en émettant des signaux chimiques différents, moyen générique qui évaluerait la stabilité des structures indépendamment de leur forme. Ainsi les flux d'entropie seraient évalués indirectement en signe et en intensité, et cognition et émotion iraient naturellement de pair.

5.6 LES BESOINS FONDAMENTAUX DE L'ESPRIT

Les mécanismes qui pourraient évaluer l'entropie sont à la fois compliqués et élusifs: on est réduit aux spéculations pour ce qui concerne les humains, et on est assurément loin de connaître ce qui pourrait motiver le comportement des autres êtres vivants. A défaut d'autres arguments *a priori,* on peut encore faire une estimation de vraisemblance *a posteriori:* la modélisation sera donc poursuivie en recherchant les conséquences que peut entraîner la boucle de réaction supposée entre l'ordre et l'émotion.

Extraire l'entropie

La conséquence évidente est que cette boucle instaure une dynamique autoentretenue où des besoins émotionnels demandent impérieusement satisfaction *via* l'ordre. En effet, selon la dynamique de la modélisation, le but sera de maximaliser *l'entropie qui peut être extraite du système mental,* et le moyen sera de lier au mieux les objets mentaux entre eux; il en résultera l'ensemble de structures le plus stable possible. Le lecteur reconnaîtra les besoins émotionnels les plus courants dans la liste qui suit:

le besoin de conscience: c'est le besoin de maintenir le contact avec un environnement riche, d'en construire l'image détaillée et de la garder à jour;

le besoin d'intelligence: c'est le besoin de construire rationnellement des structures mentales à la fois cohérentes entre elles et conformes aux données sensorielles; chaque construction réussie se termine par *l'insight*, éclair de satisfaction qui signe la compréhension,

le besoin d'anticipation: c'est le besoin de manipuler les structures construites pour en tirer les conséquences vérifiables dans le réel; les succès sont mémorables, comme la prédiction de l'électron positif le fut en physique;

le besoin du jeu: c'est le besoin de concevoir des ensembles de règles, si arbitraires soient-elles, et de les mettre en œuvre pour la satisfaction essentielle de s'y conformer;

le besoin d'esthétique: c'est le besoin de percevoir et d'élaborer des formes épurées qui incarnent les représentations abstraites déjà construites, qui les mobilisent et les enrichissent;

le besoin de morale: c'est le besoin de voir et de construire les modèles de comportement cohérents qui assurent à terme l'issue la plus avantageuse aux aléas de l'existence;

le besoin de religion: c'est le besoin, au sens étymologique, de relier hiérarchiquement la totalité des constructions mentales à une vision unifiée et stable, apprise ou déduite par abstractions successives;

le besoin d'exercer et d'améliorer: c'est le besoin commun de garder les structures d'assimilation en activité, mais c'est aussi le besoin de les perfectionner en testant dans le réel les structures affinées par accommodation.

A la lecture de cette liste, on voit bien que c'est à la *genèse des valeurs* qu'aboutit la modélisation: l'intensité des flux d'entropie *peut* distinguer l'intéressant du banal, l'important du futile; leur signe *peut* trancher entre l'ordre et le chaos, le faste et le néfaste, le vrai et le faux. Le monde manichéen si souvent dénigré serait par conséquent une création de l'esprit qui en retour le maintient en vie, mais il commence avec la topologie élémentaire des systèmes finis: ils ont une frontière par laquelle les flux ne peuvent qu'entrer ou sortir. La *pensée normative* paraîtrait ainsi s'enraciner dans les processus originels susceptibles de transformer la matière inerte en matière vivante.

Ordre et valeurs

Peut-être certains lecteurs seront-ils quand-même déconcertés de voir ainsi les valeurs et les sentiments ramenés à de piètres questions d'ordre et de désordre. Pourtant, cette idée a déjà été défendue par le philosophe H. Robinson [40] comme conséquence de son «principe universel de l'heckergie». Ce néologisme désigne l'ordre au sens statistique, c'est-à-dire l'entropie changée de signe, et le principe affirme que l'heckergie de l'univers serait aussi grande que possible. Elle aurait la particularité de croître dans les êtres animés, et l'homme serait en plus capable de l'évaluer: ce pouvoir unique donnerait naissance aux sentiments, manifestations dans la conscience des valeurs telles que vérité, beauté, bonté, etc. L'idée est donc bien la même, et l'on peut se dispenser du principe puisque, localement tout au moins, la croissance de l'ordre est compatible avec la dynamique des systèmes physiques.

Le besoin de vertige

Les valeurs et les besoins spirituels qu'elles nourrissent passent parfois pour des abstractions luxueuses alors que, d'après la modélisation, on les voit figurer comme l'essence même des motivations humaines. En fait, on observe que beaucoup d'hommes poursuivent les besoins de l'esprit avec la même détermination que les besoins de leur corps. Ils s'y adonnent sans retenue non pour les avantages économiques qu'ils pourraient rapporter mais bien pour les satisfactions tangibles qu'ils procurent: artistes et scientifiques se reconnaîtront, peut-être même les mystiques. C'est que ces satisfactions peuvent être intenses, et la langue abonde en distinctions quantitatives: pour les émotions positives, on parle d'agrément, de plaisir, de délice, de vertige, de volupté, voire d'extase, mot réservé aux récompenses de la foi qui embrasse l'univers entier. La modélisation confirme que les meilleurs cas sont les conversions de vastes systèmes à des structures très stables, les théories générales, les visions cosmiques; elle rend finalement bien compte des marques profondes que les grands systèmes idéologiques ont laissées dans l'histoire.

Le premier, semble-t-il, à parler explicitement du *besoin de vertige* fut le naturaliste Roger Caillois; il s'étonnait qu'il ne soit pas cité comme un besoin fondamental de l'être humain, et tout aussi important que l'instinct sexuel pour interpréter son comportement [49]. On peut effectivement se figurer que c'est par la satisfaction fréquemment répétée de ce besoin que l'être humain garde vivant le sentiment d'exister.

5.7 CONCLUSIONS

La dynamique des systèmes physiques indique qu'une loi domine leur évolution: ils se comportent le plus souvent de façon à maximaliser l'entropie transférée vers l'environnement; ils tendent ainsi à s'ordonner tant que leurs couplages internes le permettent. Il est possible de voir l'activité de l'esprit comme soumise à la même règle quoiqu'une différence s'observe dans la vigueur avec laquelle l'ordre est promu. Cette différence invite une hypothèse également formulable en termes physiques: l'apanage de la matière vivante est sa capacité de mesurer les flux d'entropie qu'elle émet. Dès lors, la dynamique requiert que cette matière s'organise sans relâche afin de les maximaliser, et la meilleure efficacité est atteinte si la mesure sert à son tour à promouvoir l'ordre.

Chez l'homme, l'émotion offre une mesure plausible des flux d'entropie au niveau mental, et chacun connaît le rôle clef que l'émotion joue dans ses raisons d'agir: la promotion de l'ordre se retrouve avec une grande vraisemblance dans la genèse des valeurs. Si spéculative qu'elle puisse paraître, l'hypothèse liant émotion et flux d'entropie a au moins l'avantage de la parcimonie: sur la base de lois physiques générales, elle explique en principe les tendances de la complexification dans la matière vivante, y compris les tendances spirituelles exprimées par la pensée normative. Paraphrasant l'idée de Hundertwasser sur la spirale (§ 3.5), la modélisation suggère que c'est la boucle ordre-émotion qui nous fait homme.

6 L'ESPRIT ET L'UNIVERS

Le désir d'ordre est le seul ordre du monde
GEORGES DUHAMEL, Cécile parmi nous

6.1 INTRODUCTION

Ainsi va s'achever ce périple à travers les systèmes physiques, la modélisation et l'activité mentale. Il concilie deux idées apparemment contradictoires que l'on se fait couramment sur l'esprit. La première tient de la philosophie idéaliste selon laquelle l'essence de l'esprit est inaccessible à l'entendement et qu'il va rester un mystère pour lui-même. Dans la deuxième idée, il se conçoit comme un prolongement, lointain mais naturel, des propriétés de la matière dont il est issu; cette idée est en vogue dans les cercles où l'on parle du «prodigieux élan de l'univers vers la complexité», mais la difficulté demeure de comprendre les mécanismes par lesquels la matière devient complexe. La modélisation proposée dans ce livre aborde cette difficulté de l'entendement: en tirant parti des connaissances de la physique, elle pallie les limites de la pensée rationnelle. Ainsi, à partir du fait physique que le complexe surgit souvent de la répétition du simple, la modélisation fait apparaître des relations nouvelles et inattendues entre esprit et matière. Non seulement ces relations éclaircissent une part du mystère de l'esprit, mais elles reposent les questions philosophiques touchant l'identité et l'avenir de l'humain; dans ce dernier chapitre, la modélisation sera menée à terme pour dégager son impact sur ces questions et, en particulier, sur le statut épistémologique et éthique des arts et des sciences.

6.2 DE LA MATIÈRE À L'ESPRIT

Les connaissances scientifiques récentes ont fourni une indication claire au sujet de l'ordre, aspect originel du complexe: l'ordre est consubstanciel à la nature non linéaire des interactions entre particules matérielles. De cette nature résultent deux tendances, l'une étant qu'au niveau global le désordre ne peut que s'accroître, l'autre qu'au niveau local le désordre est mobile. En conséquence, de l'ordre peut se lier en un endroit pendant que le désordre correspondant diffuse au loin sous forme de flux d'entropie. Enfin, le tout est spontané si l'environnement est assez froid pour accepter cette diffusion. Ainsi, la matière inerte s'ordonne dans une certaine mesure, et le flux d'entropie est la grandeur générale qui renseigne sur l'évolution de l'ordre. Pour la matière vivante, il faut envisager un mécanisme supplémentaire qui rende la complexification divergente. Sa nature reste spéculative, mais il devrait être si général qu'en toute vraisemblance il passe par l'évaluation des flux d'entropie. Au niveau mental, il apparaît que l'émotion a toutes les qualités voulues pour jouer ce rôle; elle peut donc participer à un rétrocouplage positif contraignant l'esprit à la complexification.

La construction de l'appareil mental

A partir de là, les idées s'enchaînent facilement pour remonter jusqu'aux fonctions supérieures de l'esprit. Pour résumer en quelques mots, le dynamisme porté par le rétrocouplage se manifeste comme besoin d'émotion, besoin qui donne naissance aux sentiments et à la pensée normative; il est satisfait par les flux d'entropie qui accompagnent la formation des concepts, concepts qui sont ultérieurement stabilisés et hiérarchisés; enfin, formation et hiérarchisation alternent au cours de la complexification, pour donner simultanément naissance à la pensée associative et à la pensée logique.

On peut donc se figurer que l'activité intellectuelle consiste à réarranger les objets mentaux et que les arrangements adaptés aux circonstances extérieures se signalent par l'émission d'entropie. L'émotion alors éprouvée rend ces arrangements dignes d'entrer dans une classe supérieure d'objets mentaux: on reconnaît la boucle de rétroaction positive, et cette boucle est capable d'entretenir la construction d'un savoir portant sur l'extérieur, c'est-à-dire le savoir objectif.

L'ordre est la phéromone de l'esprit

Dans cette activité, l'esprit est à la fois producteur d'ordre et intéressé par l'ordre; l'ordre va par conséquent jouer le même rôle que la phéromone pour les fourmis, elles aussi à la fois productrices de la substance et intéressées par elle. L'ordre peut donc agir pour l'esprit comme la phéromone agit pour la colonie, et l'on peut conclure que les constructions de l'esprit doivent avoir les mêmes traits globaux.

L'arbre du savoir

Par exemple, le savoir objectif doit avoir une dynamique de colonisation tout aussi vigoureuse, et l'on ne devrait plus s'étonner que les sciences empiètent inexorablement tout le champ de la connaissance, ou que les techniques monopolisent peu à peu les activités humaines. Autre exemple, le savoir doit se développer comme une structure fractale, et l'on ne devrait plus s'étonner qu'il se ramifie constamment en branches nouvelles qui, à la longue, tendent à se cloisonner: *l'arbre de la connaissance* (85) n'est pas seulement une métaphore désuète pour la structure du savoir, mais aussi une métaphore moderne qui rend compte de sa dynamique.

Le savoir est un art

Le paradigme évolutionniste a cependant présenté le savoir comme beaucoup plus complexe qu'une structure fractale: un réseau d'associations dense se mêle aux embranchements logiques. De la sorte, non seulement le savoir colonise le monde sensible, mais il se consolide en tissant des liens internes absents de ce monde et dépendant du contenu momentané de l'esprit. La reconstruction du réel est donc un processus historique orienté par les conceptions forgées antérieurement.

Par exemple, la réalité choisie pour contrôler la véracité des prédictions change avec la culture, et l'extension des concepts varie avec cette réalité. Que l'on songe aux diverses acceptions du concept «nombre», ou «esprit» suivant les diverses réalités que l'humanité a choisies au cours de son histoire: la réalité qui comprenait de droit les Ecrits des Anciens, comme on le pratiquait avant la Renaissance, ou tel Livre de Révélations, ou encore la réalité limitée aux faits observables et reproductibles. La *méthode scientifique* fait bien sûr appel à cette dernière réalité, et elle a conduit à un système conceptuel extrêmement complexe, et sans doute le plus résilient que l'esprit humain ait construit. Il n'empêche que les sciences exactes sont spécifiques de la culture occidentale et leur avenir est tout aussi imprédictible que celui du nid de fourmis, même parvenu à maturité: dans les deux cas l'environnement, c'est-à-dire les faits observés et le terrain respectivement, peut encore changer et faire surgir de nouvelles représentations fondamentales.

La science possède une conscience

Le réseau d'associations a un autre effet majeur: il lie le développement du savoir aux autres préoccupations humaines. Par exemple, les prédilections irrationnelles des scientifiques et les modes auxquelles ils sacrifient gardent à la science l'autonomie qui lui assure la diversité.

Parfois les besoins de la société guident la recherche, mais le plus souvent elle se plie aux désirs ou aux rêves des hommes les plus influents. Ainsi la politique et l'économie s'en mêlent, faisant de la science la vitrine du pouvoir industriel et militaire. Il faut donc largement compter avec l'imaginaire: les inspirations individuelles sont certes indispensables, mais la place qu'elles parviennent à s'adjuger dans les mythes collectifs est décisive: la conquête de l'espace, l'énergie nucléaire et l'informatique sont parmi les exemples les plus troubles. La science devient ainsi une exploration affairée, sinon affairiste, et les avances dépendent autant de l'explorateur que de l'exploré.

L'art est un savoir

De son côté, l'art explore cet autre monde qui est le monde imaginaire: le paradigme l'a présenté comme fait des représentations construites en premier lieu pour l'adaptation, mais elles se trouvent remaniées et reclassées selon des principes qui dépassent la logique et ignorent les niveaux d'abstraction; la modélisation prête bien une base physique à ces principes, mais l'irrationnalité est si profonde que l'aura spiritualiste de l'art reste intacte.

Il n'empêche que l'art est le terrain privilégié pour observer les règles de l'activité mentale: on y retrouve celles qui président à la construction du savoir. Par exemple, au besoin de représenter l'extérieur par le savoir correspond le besoin de décrire l'intérieur par l'art; peut-être est-il même plus impérieux: dans l'histoire, l'art a régulièrement précédé la technique tant l'urgence de représenter l'idée contraint l'homme à maîtriser le matériau; l'utilitaire n'est qu'une retombée [50]. Ainsi, les objets mentaux sont associés à des objets réels qui n'ont pas de relation intelligible avec eux, et c'est par le biais de cette altérité que l'essence du mental est décantée: un code est défini par lequel l'idée est incarnée. La pomme de Cézanne est une pure idée: faite de taches sur une toile, elle ne donne pas faim mais revendique une façon de reconstruire l'espace; les machines de Tinguely sont de la mécanique pure: démunies de l'utilitaire que l'on croyait aller de soi, elles trahissent le grotesque de notre civilisation mécanicienne. L'idée est ainsi devenue connaissance transmissible au même titre qu'un fait est transmissible par le langage ordinaire, et le destinataire en retire le même bénéfice: il peut la reconnaître et agir en conséquence. Tout comme la science, l'art est donc un savoir, savoir qui somme les mille aptitudes de l'esprit à organiser son contenu.

Enfin, tout autant que la science, l'art est une recherche têtue et passionnée: comme le scientifique, l'artiste ne commande pas le développement de son œuvre, il le suit au mieux de ses moyens. Croissance spontanée et autovalidée, l'art sait aussi s'adapter aux circonstances changeantes pour en tirer le meilleur parti. Ainsi, lorsque la peinture fut détrônée par la photographie comme moyen d'archivage, elle sut conquérir le monde imaginaire pour y découvrir des myriades de formes inconnues. Les artistes vivent au plus près l'aventure du siècle et ils y trouvent les plus grands bonheurs: en tous cas, ils se saisissent étonnamment vite des technologies nouvelles pour les transformer en moyens d'expression et ils en tirent le pouvoir de restituer l'esprit du temps [51]. Enfin, sans moins de désinvolture que les scientifiques quant aux conséquences, les artistes critiquent les mentalités et tentent de les modeler à leurs goûts.

6.3 HEUREUX QUI COMME SISYPHE

Dans leur sécheresse exemplaire, les principes de la dynamique des systèmes sont dépouillés de toute signification qui pourrait réhabiliter l'explication finaliste. L'univers physique n'a donc rien de spécial à dire à l'homme; en tous cas, les événements se déroulent magnifiquement bien même si personne ne les regarde: Siva danse avec légèreté et sans égard pour les créatures qu'il fait et défait. Créature intelligente, l'homme n'a pourtant jamais pu s'empêcher d'attribuer un sens à l'univers. Son arrogance est excusable car, animal social malgré lui, il projette sa faculté de communiquer et il lui est inimaginable qu'un partenaire si important ne fasse pas de même.

Cette arrogance peut tout de même se pratiquer avec plus ou moins de lucidité. En effet, puisqu'aucun langage n'a été convenu, ce que l'homme croit comprendre au murmure de ce monde n'est qu'une interprétation provisoire qui dépend de la culture que son cerveau a bâtie. Or la culture change aujourd'hui que la science commence à déchiffrer la dialectique ordre-désordre qui régit la nature. Même si elle est gratuite, la question du sens peut être reposée: quel sens l'homme peut-il prêter à l'univers, quelle place est-il en droit de s'y réserver? Il me paraît que cette dialectique limite les aspirations qu'il est raisonnable de concevoir. Les idées pertinentes se résument dans les quelques phrases qui suivent.

L'ordre pourvoit au désordre

Du fait que matière et énergie ont une forme particulaire, tout se passe comme si la nature s'était donné une fin dernière qui est l'équilibre thermodynamique: l'énergie disponible a en effet pour unique destin de se partager le plus finement possible et au hasard dans l'espace, de sorte qu'il y règne le désordre le plus complet. Cependant, les particules sont par ailleurs dotées de forces mutuelles à distance qui tendent à les lier dans des ordres plus ou moins compliqués. A première vue ces forces semblent contrecarrer la mise en désordre mais, par le processus même qui construit l'ordre, elles libèrent de l'énergie sous forme de chaleur; devenue ainsi disponible, cette énergie supplémentaire diffuse et augmente le désordre ambiant. L'ordre se révèle donc comme un subterfuge qui accroît l'énergie vouée au désordre. Enfin, certaines de ces forces peuvent aussi porter des ordres provisoires, dont la stabilité est assurée par la dissipation continue d'énergie; la production du désordre s'en trouve temporairement accélérée et, par ce biais, l'énergie vouée au désordre s'accroît encore. La tendance globale est donc: *non seulement arriver au plus grand désordre possible, mais y arriver le plus vite possible.* Paradoxalement, c'est par le truchement de l'ordre, définitif ou temporaire, que la nature satisfait le mieux l'irrépressible tendance au désordre. Elle n'a qu'à laisser la matière s'organiser à sa guise et, finalement, laisser naître la vie et l'intelligence: alors, l'ordre s'arroge le rôle principal et il pourvoit aux basses œuvres sous le masque avenant de la complexité.

L'harmonie par l'équilibre

Ainsi, aux yeux de l'être humain qui se prend à regarder la nature comme un interlocuteur, tout se passe comme si elle affirmait un message sur ses intentions dernières: poursuivre par tous les moyens un rêve d'harmonie éternelle par l'équilibre thermodynamique, équilibre où toute matière s'apaiserait dans un calme démocratiquement partagé. Mais en tolérant qu'au passage l'ordre s'installe et se perfectionne, la nature capte des ressources supplémentaires au service de son rêve et, surtout, elle gagne du temps.

L'harmonie par l'ordre

Ce détournement réussit splendidement avec l'homme, créature perfectionnée entre toutes: en associant malignement la symétrie et le plaisir dans son cœur, la nature y a instillé le désir du savoir et le rêve compulsif de l'harmonie par l'ordre. Dès lors, l'homme devient son meilleur complice: l'ordre le rassure, le désordre l'angoisse, et il se prête avec impatience à la tâche qui lui revient. Apaisant d'abord sa conscience, il se proclame un miracle de perfection, il projette son image sur le reste du monde et se figure que ce mirage l'investit de pouvoirs absolus. Il apprend ensuite en toute ingénuité à reproduire les inventions de la nature et les exploite à son compte: il devient *productif*, et c'est avec passion qu'il entreprend d'organiser le gaspillage autour de lui.

Sans doute réalise-t-il ainsi le mieux son rêve d'homme, mais la nature a le sien qui prime: il n'agit ainsi que pour mieux se hâter d'accomplir son rêve à elle. Assurément, s'il est une imposture que la science a accréditée, c'est bien cette croyance moderne que l'homme a la capacité de dominer la nature, et que c'est même son devoir. Bien au contraire, elle se joue de lui, et de la façon la plus éhontée!

L'absurde est le probable

L'homme sera-t-il libre un jour de voir le revers de son rêve d'ordre? Il n'y verra rien de bien prestigieux: l'amour de l'ordre et du travail n'est qu'un leurre implanté dans sa tête par une nature indifférente et profiteuse; le progrès forcené vers le complexe et l'efficace n'est qu'un jeu, et ses lendemains ne chantent guère; il faut même de la compassion pour y voir un passe-temps intelligent puisque le résultat est sûrement absurde: prêter main forte à une nature qui n'a qu'à dissiper ses ressources, et même lui faire gagner du temps quand elle a l'éternité devant elle!

Mais l'homme productif, justement, *choisit* de n'être pas libre, il préfère son rêve obligé car la nature n'est pas bégueule: elle le laisse s'abreuver de plaisir quand il sert le mieux son rêve d'équilibre. Il reste amateur même quand l'effort est pénible, comme le rat d'expérience prêt à affronter les chocs électriques pour toucher la manette du plaisir. Servant docile subrepticement abusé, l'homme a la même excuse: que serait-il sans sa dose quotidienne? Le temps s'écoule et l'infatigable reprend sa manie; Camus le visionnaire l'avait vu: «il faut imaginer Sysiphe heureux» [52].

Dans la perspective de cet essai, l'homme productif est donc l'homme le plus probable. Une réflexion intrigante est que les alternatives tentantes font défaut. Seul le taoïsme le plus ancien reconnaît que l'homme est inutile dans ce monde et que, s'il entreprend, il s'asservit au social comme la fourmi exploratrice s'asservit aux intérêts de la colonie: il ne reste alors que le chemin du tao, mais il est austère et peu fréquenté.

6.4 ÉTHIQUE ET VOLUPTÉ

Le chercheur scientifique est le prototype de l'explorateur abusé: il se passionne pour percer les secrets de la nature, et ses conquêtes sont promptement récupérées au profit d'entreprises de toutes sortes, fastes ou néfastes. Souvent néfastes, hélas, puisqu'il faut admettre que, dans le monde d'aujourd'hui, plus de la moitié des scientifiques collaborent directement à l'armement. Les progrès ont été immenses, au point que la vie sur la planète est à la merci d'une bévue ou d'une rodomontade. En accord irrécusable avec la modélisation des systèmes qui réussissent, le monde scientifique exploite son environnement au risque de le ruiner. Comment concilier cette funeste réalité avec les motivations idéalistes que la plupart des hommes de science professent: la recherche désintéressée du vrai? Beaucoup d'entre eux résolvent la difficulté en divisant travail et morale, d'autres croient garder leurs distances avec le monde pratique; enfin quelques-uns, comme Oppenheimer et Sakharov, ont connu le chemin de Damas qui a ruiné leur carrière.

Credo quia absurdum

A la décharge des chercheurs, il faut invoquer le système de valeurs qu'ils s'imposent pour garantir la rigueur. Il contient trois valeurs cardinales: *la science est pure,* elle reproduit les faits observés dans la nature en termes intelligibles; *elle est objective,* son contenu est indépendant des personnes; *elle est neutre,* son contenu ne privilégie aucune personne. En désignant ce que la science doit contenir et ce qu'elle ne doit pas contenir, ce système normatif définit la frontière entre l'admissible et le non-admissible; en termes du paradigme, il institue une coexistence de phases dont la norme faîtière est la cohérence, et la symétrie miroir avec le monde extérieur s'ensuit par adaptation continue aux observations.

Si éthéré qu'il paraisse, ce système de valeurs a ses conséquences pratiques au sein du groupe social qui s'y soumet. D'abord, il sanctionne la compétition et la critique entre chercheurs rivaux. Ensuite, au prix d'un flou sémantique insignifiant, il se mue en un jeu de propositions autoréférentielles qui permet le raisonnement circulaire: *la science est pure parce qu'elle est neutre, elle est neutre parce qu'elle est pure, ...* Le système de valeurs devient insolite (§ 1.3), et il force l'illusion d'un ordre matérialiste immanent, parfait et dur comme le cristal: devant cet écran idéologique qui masque motivations et conséquences, toutes les voies de recherche se valent; l'humain est banni et le chercheur est délié de toute responsabilité.

Le revers est toutefois coûteux: *le scientifique est privé du pouvoir réel créé par ses compétences.* L'inconvénient était peut-être mineur dans les temps héroïques où la science vivait du mécénat, mais aujourd'hui les scientifiques peuvent mesurer le pouvoir colossal qu'ils ont négligé de retenir entre leurs mains: impuissants ou passivement consentants, ils assistent à son détournement au service de systèmes de valeurs étrangers à la science. Ils n'ont certes pas lâché la bombe mais, en l'imaginant, ils ont commis le péché de ne pas imaginer les conséquences.

Le monopole inexploité

Cette situation est irréversiblement inscrite dans les structures sociales qui gravitent autour de la recherche scientifique: il est partout admis que ses résultats sont publics et à disposition de quiconque veut en tirer parti. Les scientifiques eux-mêmes n'entendent pas en limiter l'exploitation. On peut en juger par leur réticence à envisager un *code déontologique* où ils stipuleraient les droits qu'ils se réservent quant à l'usage de leurs découvertes: tous les appels sont restés lettre morte. Il est tout de même étonnant de voir un groupe social qui jouit d'une situation de monopole absolu mais qui n'en a cure! Même Soljenitsine, qu'on ne peut guère soupçonner de militantisme syndical, a vivement reproché aux scientifiques «de n'avoir jamais tenté de se constituer en une force vive capable d'agir dans l'indépendance» [53]. Pourtant avec les médecins, les notaires et même les écrivains, les exemples ne manquaient pas: le code professionnel est l'instrument du *rapport de force* légitime que les membres du groupe établissent avec la société; en échange du service consciencieusement rendu, ils s'assurent la prospérité et la paix de leur conscience.

Les laboratoires de Thélème

Justement, c'est là que l'activité scientifique se sépare des activités de service, si nobles soient-elles: elle dérive d'un *comportement d'exploration qui est spontané et autovalidé.* Comme l'a si bien montré Bateson, ce genre de comportement est indissociable du comportement global d'un système vivant, et *il n'est pas soumis* aux lois de renforcement par la production: il est validé par l'information qu'il délivre, il est indépendant des conséquences, de la réussite ou de l'échec (§ 4.9 et § 4.10). La modélisation par les coexistences de phases confirme ces propriétés de résilience, tout en ajoutant que seule la *sélection externe* a le pouvoir de sanctionner les comportements spontanés.

La conclusion s'impose: il n'y a pas d'éthique de la spontanéité. Pour ce qui est de la recherche scientifique, il est vain d'en codifier les activités puisque, par essence, elles ne peuvent pas être suspendues lorsque les manquements au code exigent rétorsion. «Fays ce que vouldras» est la devise des chercheurs, imposée et avidement acceptée, mais elle a son revers: la liberté de tout faire abolit la liberté de ne rien faire et elle exclut le partage du pouvoir avec le commanditaire [54]. Effectivement, et pas plus que les artistes, les scientifiques ne sont pas disposés à faire grève et revendiquer, ni à organiser la censure entre eux. Pour les uns comme pour les autres, ce n'est pas le résultat qui compte, c'est la quête: par elle le plaisir et le sentiment de vivre, il est indispensable qu'elle continue jour après jour. Son produit par contre fluctue de jour en jour, broutilles et découvertes se succédant sans ordre prévisible; il ne saurait jouer le rôle de service qu'on accorde ou refuse dans l'exercice d'un rapport de force.

Parler de la responsabilité du chercheur est un exorcisme sans démon: la quête est par nature garante de la plus grande variété, elle ne saurait, sans risquer la paralysie, être en même temps garante du choix. Le choix est du domaine public. Les gouvernements se sont réservé ce rôle jusqu'à maintenant; ils ont souscrit aux applications agressives de la recherche et le «complexe industriel et militaire» en est né. Ce système a trop bien réussi son adaptation: il rançonne la société en faisant miroiter une sécurité qu'il s'acharne à saper aussitôt. Pourtant, il devient vulnérable; les paradoxes le minent [55] et les réactions d'intolérance se multiplient (§ 4.7 et 4.8). Le contrôle démocratique est le dernier augure d'un usage plus réfléchi des connaissances scientifiques.

6.5 ARTS ET SCIENCES, SPLEEN ET IDÉAL

Sur la base du paradigme, on conçoit que tout comme l'évolution biologique qui l'a engendré, l'homme ne peut répondre juste qu'à court terme. C'est la tentation totalitaire par excellence d'imaginer qu'il peut se guider sur le long terme. Dans l'évolution comme dans l'histoire humaine, le long terme qui finalement se réalise n'est fait que des courts termes les moins nuisibles avec, de temps à autres, une mise gagnante: c'est l'essence de l'aventure. L'art et la science sont les aventures collectives où se joue la suprématie de l'esprit sur les choses. Comme dans toutes les aventures, pertes et profits vont de pair mais, au bout du compte, l'aventurier s'enrichit toujours de son expérience.

Le temps de s'enivrer

L'évolution que la science impose au genre humain depuis la Renaissance est une aventure dramatique: le risque est devenu mortel. Pourtant la vie continue et elle est encore vécue pour ce qu'elle a toujours donné à vivre, le plaisir vertigineux de jouer pour gagner. Tant qu'il y aura des hommes, il y aura les scientifiques qui se laissent séduire et donnent libre cours à leur passion: qui peut faire grief à l'alpiniste de côtoyer les précipices et de ne reconnaître ses limites que dans ses blessures? Pour l'homme, il est *toujours* temps de s'enivrer, comme dit Baudelaire. Pour le scientifique, pour l'artiste, c'est *toujours* l'heure de la recherche. Il ne faut pourtant pas se faire illusion. Sensuelle ou spirituelle, la volupté est bonne à prendre mais elle joue sur l'aventurisme; en prêtant à la volupté une fonction adaptative essentielle, la modélisation explique que l'aventurisme soit soustrait à l'appréciation consciente. Il a effectivement été inconscient dans le passé, il le restera en toute vraisemblance dans l'avenir.

L'aventure par procuration

Cet essai de modéliser l'évolution de l'esprit à partir de la physique se montre lui-même une aventure. En reconnaissant que le désordre est la fin dernière de l'évolution, il en dénonce les moyens d'élection, l'ordre et la complexité; cette dialectique ordre-désordre engendre l'épigénèse et l'homme est chargé de la continuer. L'issue est inattendue: l'homme agit en aventurier par procuration; avide et ingénieux, il ne fait que prendre sa part dans l'accomplissement des temps.

La symétrie, langue de l'univers, langue de l'âme

Enfin, la dialectique ordre-désordre révèle la complémentarité qui unit l'art et la science dans l'ultime symétrie: par ces deux voies, l'esprit et l'univers deviennent graduellement le miroir l'un de l'autre. D'un côté, la science est l'art d'organiser l'esprit pour que l'univers y soit représenté; de l'autre côté, l'art est la science qui ordonne l'univers pour que l'esprit y soit représenté. Les deux voies se croisent là où les objets naturels se transfigurent en oeuvres d'art et où les oeuvres d'art sont prisées comme des objets naturels. C'est là que l'esprit et l'univers se créent l'un l'autre comme les mains d'Escher se donnent vie. C'est là que l'aventurier impénitent devrait trouver la sérénité:

Tout y parlerait
A l'âme en secret
Sa douce langue natale.

Là, tout n'est qu'ordre et beauté,
Luxe, calme et volupté.

L'invitation au voyage
BAUDELAIRE, *Spleen et idéal*

RÉFÉRENCES BIBLIOGRAPHIQUES

[1] WEYL H., *Symmetry*, Princeton University Press, Princeton N. J. 1954.

[2] HOHENBERG P.C., «Critical Dynamics», *in* Nicolis G. *et al.*, *Order and Fluctuations in Equilibrium and non Equilibrium Statistical Mechanics*, J. Wiley & Sons, New York, N. Y. 1981.

[3] *René Magritte*, Fondation de l'Hermitage, Lausanne 1987, p. 208.

[4] BOOL F. H. *et al.*, *La vie et l'œuvre de M. C. Escher*, Chêne Hachette, Paris 1981.

[5] FORD J., «How Random is a Coin Toss?», *Physics Today*, avril 1983, p. 40.

[6] ATKINS P.W., *The Second Law*, Scientific American Books, Freeman, New York 1984, chap. 8.

[7] PRIGOGINE I., «Order through Fluctuations, Selforganization and Social Systems», *in* Jantsch E., Waddington C.H. Ed., *Evolution and Consciousness*, Addison-Wesley, Londres 1976.

[8] FEININGER A., *Nature and Art*, Dover, New York 1983.

[9] CHANGEUX J. P., *L'homme neuronal*, Fayard, Paris 1983.

[10] GARAUDY R., *Mosquée, miroir de l'Islam*, Editions du Jaguar, Paris 1985.

[11] JANNEROD M., *Le cerveau machine*, Fayard, Paris 1983.

[12] FIVAZ E., *Alliances et mésalliances dans le dialogue entre adulte et bébé*, Delachaux & Niestlé, Neuchâtel 1987.

[13] BADER A., «Créativité humaine et folie», *Hexagone «Roche»* 12, 5e suppl., 1984.

[14] CHAUVIN R., *La biologie de l'esprit*, Editions du Rocher, Monaco 1985, chap. 6.

[15] ZAZZO R., *Le paradoxe des jumeaux*, Stock, Paris 1984, p. 199.

[16] VON MEISS P., *De la forme au lieu*, Presses polytechniques romandes, Lausanne 1986, pp. 75, 78.

[17] RUELLE D., «The Lorentz Attractor and the Problem of Turbulence», *Lecture Notes in Mathematics 563*, Springer Verlag 1976, p. 140.

[18] FEYNMAN R., *The Feynman Lectures on Physics*, Addison Wesley, Reading, Mass. 1964, chap. 41.

[19] SCHUSTER H. G., *Deterministic Chaos*, Physik Verlag, Weinheim, RFA 1984, pp. 62, 86, 114.

[20] PEITGEN H. O., RICHTER P. H., *The Beauty of Fractals*, Springer Verlag, Berlin 1986.

[21] VARELA F. J., FRENK S., «The Organ of Form: toward a Theory of Biological Shape», *J. Social. Biol. Struct. 10*, p. 73, 1987.

[22] ROTHEN F., KOCH A. J., «Phyllotaxis or the Properties of Spiral Latices», *Journal de physique*, à paraître.

[23] MATHEY F., *Hundertwasser*, Flammarion, Paris 1986, pp. 63, 81.

[24] LEYMARIE J., *Van Gogh*, Skira, Genève 1984.

[25] PIAGET J., *Biologie et connaissance*, NRF, Gallimard, Paris 1967.

[26] THOM R., *Modèles mathématiques de la morphogénèse*, 10/18, Paris 1974.

[27] FIVAZ R., «Thermodynamics of a Single Bloch Wall», *Phys. Rev. B1*, 5797, 1982; «Symmetry Breaking by Random Fields», *Helv. Phys. Acta 58*, 497, 1985.

[28] NICOLIS G., PRIGOGINE I., *Self-Organization in Nonequilibrium Systems*, J. Wiley, New York 1977, chap. 3, chap 17.

[29] LANDAUER R., «Stability in the Dissipative State», *Physics Today*, novembre 1978, p. 23.

[30] MORIN E., *La Méthode 1, La Nature de la Nature*, Seuil , Paris 1977, p. 52.

[31] ATLAN H., *Entre le cristal et la fumée*, Seuil, Paris 1979, p. 83.

[32] THOM R., «Halte au hasard, silence au bruit», *Le Débat 3*, juillet-août 1980.
[33] BATESON G., *Mind and Nature, a Necessary Unity*, Bantam Books, New York, N. Y. 1980, chap. 3.
[34] GALBRAITH J. K., *The New Industrial State*, Houghton Mifflin, Boston 1967.
[35] BLOCH A., *Murphy's Law Complete, All the Reasons Why Everything Goes Wrong*, Methuen Paperback, Londres 1986.
[36] PETER J. L., *Pourquoi tout va mal*, Bordas, Paris 1986.
[37] GALL J., *Systemantics, How Systems Work and Especially How They Fail*, Pocket Books, New York, N. Y. 1978.
[37a] TANK D. W., HOPFIELD J. J., «Collective Computation in Neuronlike Circuits», *Scientific American*, décembre 1987, p. 62.
[38] FIVAZ E., FIVAZ R., KAUFMANN L., «Accord, conflit et symptôme: un paradigme évolutionniste», *Cahiers critiques de thérapie familiale et de pratiques de réseaux*, 7, 1983, p. 91.
[39] GALBRAITH J. K., *Théorie de la pauvreté de masse*, Gallimard, Paris 1980, pp. 68-69, 81-92, 102.
[40] ROBINSON H. J., *Renascent Rationalism*, Speedside Publications., Rockwood, Ont. 1982, chap. 5, 8, 13.
[41] WADDINGTON C. H., «Concluding Remarks», *in* Jantsch E. and Waddington C.H. Ed., *Evolution and Consciousness*, Addison-Wesley, Londres 1976.
[42] BOULDING K. E., *Evolutionary Economics*, Sage Publications, Beverly Hills, CA. 1981.
[42a] LE MOIGNE J. L., *La théorie du système général*, PUF, Paris 1977.
[43] D'ESPAGNAT B., *Un atome de sagesse*, Seuil, Paris 1982.
[44] HUMPHREY N., *Consciousness Regained*, Oxford University Press, Oxford 1984, chap. 5.
[45] REEVES H., *L'heure de s'enivrer*, Seuil, Paris 1986.
[46] RIVKIN J. and HOWARD T., *Entropy, a New World View*, Viking Press, New York, N. Y., 1980.
[46a] VARELA F. G., MATURANA H. R., URIBE R., «Autopoesis: the Organization of Living Systems, its Characterization and a Model», *Biosystems 5*, 187, 1974.
[47] HOYLE F., *The Intelligent Universe*, Michael Joseph, Londres 1983.
[48] BRABANCE A., «La nouvelle ou la séquence voluptueuse», *in Thèse-Métaphore-Chimère*, A. Bader et G. Salem, Editions P. Lang, Berne 1986, p. 99.
[49] YOURCENAR M., *Discours de réception à l'Académie française*, PUF, Paris 1981.
[50] SMITH C. S., *A Search for Structure*, MIT Press, Cambridge, Mass. 1982.
[51] BERGER R., *L'effet des changements technologiques*, Ed. Favre, Lausanne 1983.
[52] CAMUS A., *Le mythe de Sysiphe*, Gallimard, Paris 1942.
[53] SOLJENITSYNE A., *Discours de réception du Prix Nobel.*
[54] GLUCKSMANN A., *Les maîtres penseurs*, Grasset, Paris 1977.
[55] SUDREAU P., *La stratégie de l'absurde*, Plon, Paris 1980.

GLOSSAIRE

Accommodation: adaptation par laquelle un système modifie ses schèmes d'action de façon à tirer un meilleur parti d'une variation de l'environnement.
Adaptation: changement survenant dans un système par lequel il améliore ses chances de survie dans un environnement variable; en biologie, on distingue l'adaptation par accommodation de celle par assimilation.
Algorithme: suite finie d'opérations logiques, mathématiques ou autres, qui permettent de passer de données initiales à un résultat final.
Amortir: atténuer progressivement l'intensité d'un effet jusqu'à zéro.
Assimilation: adaptation par laquelle un système adopte la conduite éprouvée qui lui donne le meilleur avantage dans l'environnement présent.
Attracteur: comportement spécifique vers lequel un système tend pour autant que les conditions initiales soient à l'intérieur d'un domaine appelé bassin d'attraction.
Attracteur étrange: attracteur comprenant une classe de comportements différents et qui se succèdent sans ordre prévisible; cette succession constitue le chaos déterministe.
Autodétermination: détermination de paramètres d'un système qui dépend exclusivement des structures présentes dans le système.
Autovalidation: validation d'une conduite d'un système reposant sur des critères propres au système, à l'exclusion de tout déterminant externe.

Bifurcation: région de l'espace des paramètres où un état devient instable et donne naissance à une paire d'états dans lesquels un nouveau paramètre d'ordre prend une valeur finie.

Cascade sous-harmonique: une des familles d'attracteurs de la dynamique quadratique.
Champ: influence extérieure agissant simultanément sur tous les éléments d'un système.
Coexistence de phase: comportement de changement des systèmes à couplage de courte portée; les structures de l'état initial et de l'état final sont présentes simultanément et la transition de l'une à l'autre est locale et progressive.
Cohérent: se dit d'un ensemble où tous les éléments sont compatibles entre eux et s'associent sans engendrer de contradiction.
Complexe: se dit des objets dont la description exige de nombreux paramètres; la complexité croît avec le nombre de ces paramètres.
Concept: idée générale des objets conçue par l'esprit et permettant d'organiser les perceptions et les connaissances.
Constante de temps: durée nécessaire pour que les processus irréversibles amortissent les fluctuations dans un système.
Constructivisme: théorie psychologique selon laquelle la perception et l'apprentissage constituent des reconstructions du réel guidées par l'activité du sujet.
Cristal parfait: corps solide dans lequel les atomes sont arrangés périodiquement.

Désordre ou chaos: disposition quelconque d'éléments concrets ou abstraits dans l'espace, le temps ou une autre dimension. L'absence de toute corrélation interdit la prédiction d'événements locaux, mais elle conditionne les grandeurs globales; pour les systèmes qui ont des états d'équilibre, ce conditionnement est décrit par les principes de la thermodynamique.
Déterministe: dont la loi d'évolution a une solution unique et connue dès que les conditions initiales sont spécifiées. Certaines lois sont telles que les conditions initiales devraient être spécifiées avec une précision infinie, ce qui est impossible; alors, des conditions initiales indiscernables conduisent à l'une des solutions

d'une classe particulière, mais il est impossible de prédire laquelle sera réalisée. Ce comportement est appelé chaos déterministe.

Double description: selon Bateson, paire de descriptions d'une même réalité dont la confrontation crée une troisième description de niveau logique plus élevé.

Double lien: en théorie de la communication, paire d'injonctions contradictoires appliquées simultanément à un sujet dépendant; le double lien a été proposé comme modèle de la transaction psychotique par Bateson.

Dynamique cubique: dynamique où l'accroissement temporel des variables dépend du cube de ces variables, par exemple $dx/dt = x^3 + ax + b$.

Dynamique quadratique: dynamique où l'accroissement temporel des variables dépend du carré de ces variables, par exemple $dx/dt = x^2 + c$.

Entropie: grandeur qui caractérise le désordre affectant les positions, les vitesses ou d'autres variables des particules d'un grand système. Elle est mesurée par le logarithme du nombre d'arrangements distincts réalisables par permutations de toutes les valeurs possibles des variables.

Equilibre: état de repos où toutes les variables globales d'un système restent invariantes dans le temps; l'équilibre est stable si les perturbations s'amortissent spontanément. Dans les états d'équilibre, le système n'échange pas d'énergie avec l'environnement.

Esprit: ensemble des fonctions mentales.

Fluctuation: petit écart local des variables d'un système par rapport à leur valeur d'équilibre

Fonction: activité exercée par un système ou une partie d'un système.

Fractal: se dit des structures conservant le même aspect à différents agrandissements; cette invariance est aussi appelée symétrie d'échelle.

Global: caractéristique de la totalité ou d'une grande partie d'un système.

Identité: ensemble des caractères d'un système qui ne sont pas modifiés par l'action de l'environnement.

Insight: compréhension subite d'une situation complexe qui se manifeste par l'émotion.

Interhormones: protéines hypothétiques donnant lieu au couplage mutuel entre espèces de la biosphère et pouvant rendre compte de son développement ordonné.

Local: caractéristique d'une petite partie d'un système.

Métastabilité: comportement de changement des systèmes à couplage de longue portée; une seule structure est présente à tous moments et la transition de la structure initiale à la structure finale est globale et rapide.

Microscopique: caractéristique d'un petit nombre d'éléments d'un système.

Modélisation: procédé par lequel les propriétés démontrées dans un système simple sont étendues à un système complexe. Sa validité repose sur les propriétés d'universalité de l'ordre; elle n'est assurée que si les deux systèmes ont le même nombre de variables. En général, l'égalité du nombre de variables n'est pas démontrable, de sorte que la modélisation fournit seulement des résultats plausibles.

Niveau: rang dans une hiérarchie.

Norme (aussi valeur de consigne): critère ou instruction formelle respecté quelles que soient les conditions externes dans un certain domaine.

Nouveauté: comportement inaccessible au système isolé et acquis sous l'effet du contact avec l'environnement.

Ordre: disposition particulière d'éléments concrets ou abstraits dans l'espace, le temps ou une autre dimension, et telle que la connaissance d'une partie suffit pour connaître l'ensemble ou pour faire des prédictions.

Paradoxe: suite de propositions engendrant leur propre contradiction.

Paramètre d'ordre: paramètre global décrivant l'ordre dans un système.

Perception: processus de traitement des données sensorielles aboutissant à l'identification des objets et des événements.

Phase: portion d'une substance de structure donnée et pouvant échanger des molécules avec une autre phase de cette même substance, par exemple phase liquide et phase vapeur pour l'eau. Lorsque des phases différentes cœxistent, les paramètres extérieurs se trouvent liés par des relations spécifiques des structures; ces relations, appelées en physique lignes de cœxistence, représentent des normes autodéterminées que les systèmes complexes imposent sur leur environnement.

Phéromone: protéine odorante assurant le couplage mutuel entre individus d'un ensemble et donnant lieu à un comportement collectif; par exemple, une phéromone conditionne le mouvement des fourmis d'une colonie et détermine la structure idéale du nid.

Plausible: qui a beaucoup de chances d'être vrai, par opposition au certain qui peut être prouvé.

Portée: distance d'action des influences mutuelles entre éléments d'un système; la portée est courte lorsque ces influences s'exercent entre éléments plus proches voisins, elle est longue si elles affectent simultanément un grand nombre d'éléments voisins.

Principe de Le Châtelier: en thermodynamique classique, règle selon laquelle l'équilibre d'un système chimique se déplace de façon à contrecarrer les modifications survenues dans les conditions externes.

Principes de la thermodynamique: lois globales observées dans les grands systèmes de particules, indémontrables mais jusqu'ici jamais prises en défaut. Les premier et deuxième principes stipulent que lorsqu'un système isolé change d'état d'équilibre, l'énergie est conservée et l'entropie croît.

Processus irréversibles: processus microscopiques engendrés par les collisions et tendant à amortir les perturbations des états d'équilibre ou des états stationnaires.

Réduction: opération par laquelle sont sélectionnés les facteurs généraux formant le contenu des concepts.

Résilient: se dit des états d'équilibre ou stationnaires qui restent constants même sous des perturbations de très grande amplitude.

Rétrocouplage (aussi rétroaction, réaction, feedback): en cybernétique, action en retour par laquelle une variable de sortie est utilisée comme l'une des variables d'entrée; le résultat est soit la divergence immédiate de cette variable (rétrocouplage positif), soit sa régulation près d'une valeur de consigne fixe (rétrocouplage négatif).

Section d'or: nombre irrationnel égal à 1,618... et associé aux séries de Fibonacci.

Sélection naturelle: sélection exercée par l'environnement favorisant les espèces les mieux adaptées aux dépens des moins aptes; par extension, sélection des représentations, théories, etc., les plus utiles pour le savoir objectif.

Série de Fibonacci: suite de nombres où chacun représente la somme des deux qui le précèdent; par exemple: 0, 1, 1, 2, 3, 5, 8, ...

Spontané: se dit des comportements d'un système qui apparaissent sans influences extérieures.

Stable: se dit de l'état d'équilibre où les perturbations sont spontanément amorties.

Stationnaire: se dit de l'état loin de l'équilibre où les taux de variations restent constants dans le temps et où les perturbations sont spontanément amorties. Dans cet état, le système soustrait continûment de l'énergie des champs extérieurs et la rejette à l'extérieur sous forme de chaleur: un flux d'entropie constant est émis.

Structure: manière dont sont agencées les parties d'un ensemble concret ou abstrait; elle contient souvent des symétries.

Symétrie: cas particulier de l'ordre; est doué de symétrie l'ensemble tel qu'une transformation – réflexion, rotation – produit une image indiscernable de l'original. Est également appelée symétrie toute propriété invariante par cette transformation.

Symétrie d'échelle: cas particulier de symétrie où la transformation est un agrandissement; voir fractal.
Symptôme psychotique: expression manifeste de la transaction psychotique.
Système: ensemble d'éléments en interaction qui donne lieu à une propriété collective spécifique de l'ensemble.
Système complexe: système où la complexité de l'ordre entre parties est comparable à la complexité des parties.

Théorie des catastrophes: théorie mathématique énumérant les classes des solutions stationnaires des systèmes dynamiques; les catastrophes sont les transitions entre solutions de classes différentes.
Théorie du système général: théorie axiomatique qui recense les attributs formels des systèmes autodéterminés; cette théorie s'inspire principalement de connaissances de la cybernétique et de la biologie.
Transaction psychotique: dans un groupe humain, communication paradoxale qui masque la signification des messages.
Transition: passage brusque ou graduel d'une structure à une autre dans un système.
Turbulence: mouvements plus ou moins périodiques, enchevêtrés ou erratiques, et qui se manifestent dans les écoulements fluides à grande vitesse.

Universel: se dit de l'ordre dont les manifestations dépendent du nombre de variables mais non leur nature particulière.

Validation: preuve apportée *a priori* ou *a posteriori* qu'un procédé satisfait certains critères de véracité.

CRÉDIT PHOTOGRAPHIQUE

2 The National Gallery of Art, Washington DC, Coll. Mr and Mrs Paul Mellon.
4, 5, 6, 28 © M. C Escher Heirs c/o Cordon Art, Baarn, Holland.
7 Photo F. Rausser.
8 © The Image Bank.
9 Dessin d'Irving Geiss.
10a Photo D. Mizer.
10b Len Sirman Press.
12 ZEFA Agentur.
13 Photo B. Vonnegut.
14, 15, 17, 18, 19, 50 Photos A. Feininger.
16, 46 Photo Y. Kawaguchi.
20 *Tout Venise* Editions Minerva
21 *Minéraux et fossiles*
22, 47 Photo F. Beck.
24 © Photos Nuridsany et Pérennou.
25 Photos J. Walker.
26 Fondation Reinhart, Winterthur.
27 Collection privée.
29 Photo Jean Mazenod, *L'Islam et l'art musulman*, Editions Mazenod, Paris.
30, 41, 42, 43, 44 Photos H. Stierlin.
31, 32 Bildagentur Baumann AG.
33 Keycolor AG.
34 Montage photographique F. Beck.
35, 36, 37, 38 Collection A. Bader.
39, 59 Rapho, Pavlousky, R. et S. Michaud.
40 Len Sirman Press.
48 Photos Perry et Lim.
49 Photo S. Taneda.
51, 52, 53 Photo Richter.
55 Royal Library, Windsor Castle.
57, 58 British Museum.
60 Galerie Welz, Salzbourg.
61 Hundertwasser, «La fenêtre dans l'étang», N° 769, © Joram Harel Management, Vienne, 1987.
62 Photo Sparrow, Husar et Goldstein.
63 Photo Kline *et al.*
64 Folkwang Museum, Essen.
65 Metropolitan Museum of Art, Rogers Fund, New York.
66 Photo Fulz et Spence.
67 Photo J. H. Conrad.
68 Museum of Modern Art, legs Lillie P. Bliss, New York.
70 Musée d'Orsay, Paris.

Achevé d'imprimer en février 1989
par l'imprimerie Hertig+Co. SA, Bienne
Photolitho: Villars & Cie, Neuchâtel
Reliure: Mayer & Soutter, Lausanne